JN017212

「結果を出せる人」が身につけている
一生ものの思考と技術

話し方の戦略

株式会社カエカ代表／スピーチライター
千葉佳織

プレジデント社

はじめに

話す才能がある人を、ずっと羨んできました。

どこにいっても明るく、脚光を浴びている人は、話がうまい人でした。

私はその存在とは対をなすように、話にきらめく器用さがない、真面目で平凡な人間でした。

面接で質問の回答が浮かばずに止まってしまったこと、角の立つ言葉でスピーチをして嫌われてしまったこと、会話の中で意見の対立を恐れ、発言を諦めてしまったこと。

自らの話す能力の低さに辟易し続けてきました。

ただまっとうに生きているだけでは得られない能力。

かつての私にとって「話す才能」はほしくてたまらないものでした。

年月が経った今、私はおもにビジネスパーソンを対象に、ＡＩ診断とトレーナーによる指導を組み合わせた「話し方トレーニング」サービスを提供するスタートアップ、株式会社カエカを経営しています。自分自身もスピーチライター・トレーナーとして経営者や政治家をクライアントに持ち、これまで５０００人以上の話し方を改善してきました。

15歳から日本語のスピーチ競技・弁論を始め、全国弁論大会にて3度優勝、内閣総理大臣賞を受賞しています。新卒で入社したDeNAでは同社初となるスピーチライター・トレーナープロジェクトを立ち上げ、社長をはじめ役員や人事部・営業部などのメンバーに対して話し方を指導し、現在の会社の創業に至っています。

もともと話す才能に無縁であり、平凡な私が、自分の話し方を強みにして結果を出せただけでなく、周囲の人の話し方を改善できる仕組みまで構築できた理由。

それは、**「話し方の戦略」を思考し、実践してきた**からです。

はじめまして。株式会社カエカの代表を務める千葉佳織と申します。

数多の選択肢から本書を手に取っていただき、ありがとうございます。

この本では、私と話し方トレーニングサービスを営むカエカが学び培ってきた経験、知見、実績をもとに、あなたの人生を劇的に変える話し方の戦略について解説します。

「話し方」という人の温かみのある営みに、「戦略」という言葉が加えられると、違和感を抱く人もいるかもしれません。

戦略という言葉からはしばしば、嘘をつく、人を心理的に追い込む、思いのままに相手を動かそうとする、といった冷たい印象が想像されるものです。

しかし、本書は決してそうした類（たぐい）のものではありません。

「話し方の戦略を立てる」とは、自分が伝えたいことを聞き手に届けるために、話すときの目的を定め、言葉・音声・動作を考え抜くことを指します。

これは、あなた自身のキャリアアップや挑戦の道すがらにおいて「話すこと」の効果を最大化させるために、まわりを巻き込み味方につけて一緒に未来へと進んでいくために、そして、より良い世界を実現するために、とても重要なマインドセットです。

戦略とは決して冷たいものではなく、人生に熱意と活力を与えるものなのです。

話し方に「才能」なんていらない

私が話し方の戦略を初めて意識したのは、高校1年生の頃。「弁論」と出合ったのがきっかけでした。

弁論とは日本語のスピーチ競技です。ひとりで演台に立ち、7分間にわたって自分の主張を述べます。原稿は自分で作成し、話し方の工夫もして、暗記して人前で発表します。

よく「ディベート」と混同されがちなのですが、与えられたテーマに対して賛否の立場に分かれて競い合うディベートとは異なります。聴衆に向けて一方向で「スピーチ」をし続けるのが特徴です。

人前で緊張せず、堂々と話す先輩たちのかっこいい姿に憧れて弁論部に入部したものの、特段伝えたい主張もなければ、自分の話し方にも自信がなかった私にとって、そこは衝撃的な環境でした。

競技経験や年次に関係なく、その人の話がわかりやすいか、心に残るか、それはなぜなのか、ダメならなぜダメなのか改善方法を考える、ということが活発に議論されていたのです。

基礎的な発声練習から始まり、原稿を作成し、先輩からも後輩からもダメ出しを受けては、宿題そっちのけで原稿を推敲する。20回以上書き直し、納得できるものが仕上がってからは、その全１６００文字を暗記、誰にでも情熱が伝わり、明瞭に聞こえる話し方を毎日3時間練習し続け、ようやく大会に出場する……ということの繰り返し。

そんな環境で鍛え上げられた私は、結果として、全国弁論大会での3度の優勝と、内閣総理大臣賞の受賞という成果を挙げることができました。

弁論でスピーチ競技を経験し、私は、**本当に伝えたいことを相手の心に響かせたり、人を巻き込んだりするためには、戦略を持って言葉を紡いでいかなければならない**と実感しました。

そして、**話す力とは先天的な能力ではなく、スポーツや音楽と同様、やり方を把握し、軌道修正していくことで上達する**のだと、〝原体験〟として明確に学びました。

もし私に話す才能があったなら、なにも考えず、なにも努力せずとも、思うがままに話すだけで望み通りの結果を得られたのでしょう。

そんなことは一切ありませんでした。

そして、私と同じように、ほとんどの人には話す才能はないのだと思います。

だからこそ、「戦略を持って話す」ということをマインドセットとして持つことができれば、あなたの話し方が変わり、人生を切り拓くことができるのです。

「話し方の戦略」はあらゆるシーンで活用できる

本書でお届けする内容は以下の通りです。

序章では、話し方の戦略にはどのような特長があるのか、「体系化」というキーワードを軸に解説します。理解の助けとなるよう、私がスピーチライター・トレーナーとして携わった近年の事例も合わせてご紹介しましょう。

実践的なマインドセットやメソッドの解説は第1部からになりますが、序章をお読みいただくと、前提を共有したうえでより深い学びを得てもらえることと思います。

その先は、大きく3部で構成されています。

第1部では、**戦略を立てるうえでの「3つの原則」**について解説します。すべての話し方に通ずる礎となる考え方をお伝えします。

第2部では、**「言葉」の戦略**を取り上げます。原則を踏まえたうえで、どんな表現を選ぶべきか、どんな順番で話すか、どんな内容を盛り込むかといった具体的な方法について触れていきます。

第3部は、**「音声・動作」の戦略**についてです。どのように気持ちを乗せて話すか、わかりやすく明瞭に表現するか、体をどう動かして言葉を際立たせるかといった、音声と動作の要素を一つひとつ分解し、丁寧に解説します。

戦略は良例を真似ることでも養われます。本書では、著名な経営者、政治家、芸能人、アスリートなどの話し方の実例を豊富に盛り込み、分析しています。

それらはスピーチや演説からの引用が多くを占めていますが、ここから学ぶ話し方の戦略は、日常生活におけるさまざまな場面への活用を前提としています。

ビジネスにおける取引先との商談やプレゼン、上司・部下との〝報連相〟、会議、就職や転職の面接、結婚式の祝辞まで、**「話す」という行為を通じてなにかを成し遂げようと**

するシーンのすべてにおいて役立つものです。

状況が変われど、**生身ひとつで語るという「話し方」の根本には変わりはありません。**

本書は、かつての私のように話すことに苦手意識があったり、過去に話し方の不備を指摘されて悔しい思いをしてきた人にこそ、ぜひ読んでいただきたいと思います。

また、話すことに自信がある人にも有用なものだと確信しています。話し方をさらなる強みへと押し上げられるはずです。

これまで自己流でやってきて理論的な理解を深めたい人や、もっとプロフェッショナルになりたいと望む人には、自分の話し方を省みる自己分析の役割も果たせるでしょう。

「話し方に戦略を立てる」という考え方やノウハウを知っていただくことができれば、人生にスポットライトをあてることができます。

「話し方」というひとつのテーマを人生をかけて追い続けているひとりの人間として、余すところなく、心を込めてお届けします。

目次

第1部 戦略の基本

だから「伝わる」3つの原則

その3 「話し言葉」の意識を持つ

第2部 「言葉」の戦略

第1章 言語化

伝えたいことを「ひとことで言うと」

第2章

構成

言いたいことを印象づける 話の「順番」と「比率」

第3章

ストーリー

自分にしかない「物語」で共感を呼ぶ

第4章

ファクト
〝納得感〟を生む「事実」の取り扱い方

第5章

聞き手を味方につける〝ちょっとした〟ひとこと

第3部

「音声・動作」の戦略

第6章

発声

人を惹きつける「声」の磨き方

第7章

沈黙

「沈黙」こそ最大の語り

第8章

身体表現

信頼感を〝体現〟する「立ち方」「動き方」

おわりに

序章
「話し方の戦略」とは

徹底的な「体系化」によって生まれた最強メソッド

本書でお届けする「話し方の戦略」には、大きな特長があります。

それは、**徹底的に「体系化」されたもの**だということです。


２０１９年にカエカを起業し、私は自らが身につけてきた話し方の戦略を誰もが実践できるようにしようと試みました。多忙なビジネスパーソンでも、正しく努力すれば上達できる世界を実現したいと考えていたのです。

そのために不可欠だったのが、**「話し方」を構成する要素を一つひとつ分解・定義し、誰もが理解できる構図に落とし込む体系化の工程**でした。

ですが、先行する指南書もなく、そもそも人間の話し方に絶対的な正解はありません。

だからこそ、わかりやすく体系化することはとても困難で、その工程は想像を遥かに超えるけわしい道のりでした。

まず私は、自分の過去の経験をすべて棚卸ししました。話し方に苦手意識を持っていた私が、弁論をはじめとするさまざまな経験のなかで育ててきたマインド、トライアンドエラーの繰り返しで培ってきたスキル。

さらに古今東西の「話がうまい人」の話し方を動画やテキストで分析し、その共通点を抽出してノウハウの質を高めていきました。論文なども多く参考にし、科学的な実証も行いました。

それらの知見をもとに、自身がスピーチライター・トレーナーとして現場でクライアントの話し方の改善に関わることで、人が話し方でつまずく課題の幅広さを知り、適切な順番とアプローチで解決する方法について、経験値を溜めていきました。

そして、カエカに所属する〝話し方のプロ〟であるトレーナーやエンジニアとともに、受講者とリアルに向き合い、蓄積したデータの分析と議論を繰り返し、ようやく体系化が実現しました。

次のページの図にまとめましたので、ご覧ください。

の戦略」

原則

その3

分析する　「話し言葉」の意識を持つ

「音声・動作」の戦略

発声 …………… 呼吸の仕組みを理解する
腹式呼吸で大きな声を出す
声の大小を使い分けて心情を表現する
一定の速度で話せるようになる
相手と状況に合わせて話速を決める
話のポイントで話速を変える
声の高低の振り幅を持つ
重要な言葉は声の高さを戻す

沈黙 …………… 適切な間(ま)を確保する
フィラーを認識し、なくす

身体表現 …… 重心・手足の位置を安定させる
表情・視線を管理する
立ち位置を工夫する
ジェスチャーで多彩に表現する

「話し方3つの

その1
「話す目的」を明確にする

その2
「対象者」を

「言葉」の戦略

言語化……… コアメッセージをつくる
コアメッセージを磨く

構成…………… 目的に沿った順番で話す
情報のバランスを考慮する
一貫性のある話をする
冒頭と締めを工夫する

ストーリー…… 共感を呼ぶストーリーを語る
自己の弱み・強みを開示する
時間軸・感情・五感を描写する

ファクト……… 適切な事実情報を抽出する
自分と社会を接続する
数字で表現する

ストーリーとファクトを組み合わせる

レトリック…… 会話文・名言を引用する
聞き手の気持ちを代弁する
「場」の価値を強調する

話し方を「言葉」と「音声・動作」の2軸に分解

具体的な図の見方を解説します。

まず、そもそも人になにかを「話して伝える」ためには、話し始める前の段階で考えるべきことがあります。加えて、「話す」という行為の特徴を正しく認識する必要があります。これが戦略の基本にあたる「3つの原則」です。

そして、具体的なメソッドにおいては、話し方を明確に「言葉」と「音声・動作」の2軸に分けています。

ひとつめの軸は「言葉」です。文字通り、言語情報全般、発する言葉の選び方についてです。伝えたいことを言語化する方法、わかりやすく伝わるような構成の仕方、人の心をつかむ物語の語り方や、数字や社会事象などの事実情報の取り扱い方などが含まれます。

ふたつめの軸は「音声・動作」。いわゆる非言語情報にあたるものです。「音声」は、話す際の抑揚（声の調子や間の使い方）を分解し、人を惹きつける発声方法や間の取り方など。「動作」は、信頼感を示す姿勢・表情の保ち方や視線の運び方、言葉を強調しわかりやすく伝えるジェスチャーの出し方など、全身を使う行為を指します。

重要なのは、この2軸に分解したうえで両面からアプローチし、理解・実践していくことです。

なぜなら、どちらかだけの強化では、本当の意味で話し方は磨かれないからです。

例えば「言葉」だけを洗練させても、「え〜、今日はあのですね〜、あの〜私からですね」といったように、聞き取りにくい発話をしたり、表情や姿勢が不安定だったりすれば、発する言葉は輝きません。

一方で「音声・動作」だけを鍛え、とても明瞭な発音で、笑顔で話していたとしましょう。しかし、言いたいことがまとまっておらず、脈絡のない支離滅裂な話をすれば、まったくもって伝わらないわけです。

つまり、**両方のスキルが備わってこそ、本当の意味で話し方は良くなる**のです。

日本の話し方学習に足りないもの

この「2軸での分解」という観点に気がついていない人はとても多いです。

その原因は、「話し方」という言葉がひどく曖昧に捉えられていることにあると私は考えています。

これは日本における話し方の学習全体における課題でもあります。

今の日本では、**話し方を学べると言いながら、「言葉」か「音声・動作」のどちらかのみを指導する、あるいは「マインド」のみを提供する事例が多くあります。**

もちろん、自分の課題をきちんと見極め、適切な解決策を自己選択できるならばいいのですが、私の経験からすると、個々の話し方の課題はひとつに絞れるほど単純なものではありません。

語彙の量や自分自身の内面を語ることに課題があるのに、緊張しないマインドセットを先に学んでいる。早口を改善するためには、間の取り方を見直す必要があるのに、滑舌のトレーニングばかりを受けている。自分の意見を言葉にすることが必要なのに、「この場面ではこう言えばいい」といった、たんなる言い換え法を指南する書籍を手に取っている。

私からすると「その順番ではない」という学習方法を選んでいる人は大勢います。

解決策を無作為に選んでしまえば、せっかくの時間もお金も水の泡です。


これはトレーニングを提供するプロフェッショナル側にも責任があります。

クライアントの課題にそぐわない解決策を、講師の得意分野だからといって提供するケースが少なくありません。

n＝1の成功例をもとに課題解決を試みる人やコンテンツがあふれているのです。


これらはすべて、話し方という言葉の曖昧な解釈が引き起こしている残念な現象です。

5000人以上を改善した圧倒的な再現性

だからこそ、私は「話し方」というこれまで曖昧に扱われてきたものを、明確に再定義し、体系化することにこだわってきたのです。

本書を通して、それぞれのポイントを分解して理解することが、自分の得意と不得意を認識することにつながり、結果的に、網羅性を持って効率的に学習を進めていく指針となります。


カエカの「話し方トレーニング」でも、受講者はまず話し方の全体像を認識するところから始めます。

トレーニングの受講者はまず、AIによる話し方診断を通して自分の状態を分析します。この診断により、「言葉」と「音声・動作」のそれぞれの観点から課題が抽出され、話し方が体系的に成り立っていることを理解できます。

そのうえで、専属のスピーチライター・トレーナーとともに個別の課題を改善していきます。そうすると、自分はどこを鍛えているのか、なにに向き合っているのかが明確になり、最短距離で理想のゴールを達成することができるのです。


やみくもに課題に向き合うのではなく、構成要素をすべて理解し、自分がどんな順番で、なにに向き合う必要があるのかを認識し、優先順位をつけて取り組める。

そうして私たちは、5000人以上もの話し方の改善を実現してきました。

本書はまさに、あなたにとって話し方をより良くするパートナーになると思ってください。ひとりで孤独に課題と解決策を考えるのではなく、この本を読み進めながら自分なりのやり方を見つけ出してください。

そして、本章の初めにお伝えした通り、本書のメソッドは私のn=1としての成功例のみによるものではありません。n=5000以上の、これまで話し方に悩み向き合ってきた人たちの苦悩と成功が蓄積されています。

だからこそ、高いレベルで再現性が担保されており、話し方に向き合いたいと考えるすべての人にとって価値のあるものになっていると考えています。

高島崚輔市長の演説が人を惹きつけたワケ

ここからは、私が実際にスピーチライター・トレーナーとして携わり、話し方の戦略が効果を発揮した事例を紹介しましょう。

体系化した【言葉】【音声・動作】の2軸の表れ方にもご注目ください。

2023年、兵庫県芦屋市で史上最年少の市長が誕生しました。その名は髙島崚輔（りょうすけ）さん。26歳という異例の若さでの市長当選に多くの注目が集まり、次世代のリーダーとして期待されています。

私は、この選挙で髙島さんをサポートしました。

彼はもともと、ハーバード大学でスピーチを学んだり、自分のことを深掘りするエッセイを書いたりした経験がありました。そのため、言葉**自身の熱量・思いにまつわる部分と実務的な政策に関する部分のバランス**が良く、非常にわかりやすいものでした。

当時、髙島さんが抱えていた課題は「声の高さ」でした。そもそも市長候補としては異例の若さ。そのうえ高い声で話してしまうと、若々しく見えすぎて貫禄が出ない……と、彼自身、苦慮していたのです。

そこで、有権者に〝しっかりしている〟という印象を持ってもらえるよう、トレーニングを行うことになりました。

はじめに、そもそもの発声方法として「腹式呼吸」を意識しながら話す訓練をしました。これにより、音声・動作**多くの人が聞き取りやすい、安定した声色をつくる**ことができます。

次に、課題であった声の高さを意識的に変える訓練をしました。高い声を生かしながら低い声も鍛え、音声・動作**伝えたい言葉に合わせて適切な声の高さで話す**訓練をなんども重ねました。

同時に、ジェスチャーの訓練も行いました。

演説のあいだ、ずっと手を前に出して振っている政治家は多いのですが、髙島さんの場合はむしろ、ジェスチャーが少ないことが課題でした。

「この演説ではとくになにを訴えたいのか」ということをすり合わせながら、音声・動作**どのタイミングで、どんな角度で、どんな形で手を出すと話がわかりやすく伝わるのか**を追求していきました。

髙島さんのひたむきな取り組みが実り、トレーニング終了後の演説では、毎回聞きにきてくれる支援者から「伝わり方が全然違う、すごく変わったね！」と言ってもらえたそうです。

その後の登壇場面でも、身振り手振りも加えてわかりやすく話す技術を見事に使い、聴衆をグッと惹きつけ、ものすごい量の拍手を受けていました。

市長就任後、一緒に原稿をつくり上げる機会もありました。

２０２４年２月、彼にとって初めての「施政方針演説」にあたり、私もスピーチライターとして言葉のサポートを行いました。施政方針演説とは、市長がどんな方針で市政を担っていくか、予算の編成とともに語るものです。

髙島さんは「多くの人の心に響く演説にしたい」とこだわり、どの事業にどれだけの予算をかけるのか、なぜそうするのか、市民に深く理解してもらうための戦略を一緒に考えたい、と私に声をかけてくれました。

まず、「子育て」や「インフラ」といった**施策のカテゴライズを見直し**ました。区分けが細かすぎると覚えづらく、かといって大きくまとめすぎてしまうと細部がおろそかになってしまいます。

さらに、これまではそうした施策を箇条書きのまま読み上げる形式だったところに、ストーリー性を加えることに決めました。**市民との対話現場の熱気や、実際に聞いた市民の声、さらには予算策定にあたる率直な思い、困難や葛藤など彼自身の正直な気持ちを具体的に組み込みました。**

これにより、たんなる報告事項の羅列にとどまらない、温度感のある言葉に進化していきます。聞き手である市民が、市政への理解をより深めることにつながるのです。

音声・動作 冒頭と締めの言葉を暗記し、視線を配って話すことを心がけてトレーニングを行い迎えた当日、演説を視聴した人たちからは「自身の言葉で語っていた。本気度が伝わる圧巻の演説だった」「軸のブレない内容、素晴らしい語り口、人を惹きつける魅力にあふれていた」という声が寄せられました。

髙島さんのように、聞き手を想定して言葉を考え抜くことは、リーダーとして必須の素養でしょう。

フワちゃんの入学式スピーチに秘められた戦略

話し方の戦略が効果を発揮するのは、政治の場面に限りません。

以前私は、テレビ番組の企画で、タレントとして活躍するフワちゃんのスピーチをサポートしました。場面は大学の入学式、顔合わせから本番まではなんと2週間という突貫スケジュールです。

押しも押されもせぬ人気者で、超がつくほど多忙な彼女。テレビ収録の合間にロケ車に同乗して意見交換したり、「23時集合」で対面ミーティングをしたり。ときに議論は白熱しながら、なんどもやり取りを繰り返して、本当に伝えたいことを一緒に見出していきました。

そして当日、サプライズで学生の前に登場したフワちゃんのスピーチは、聴衆の心をがっちりとつかみます。会場は割れんばかりの拍手に包まれ、SNSでも〝神スピーチ〟と話題をさらいました。成功裏に終わったこのスピーチは、じつはとても戦略的なものでした。

彼女が言葉 **新入生に届けたメッセージは、「夢に向かって挑戦しよう」**。

突飛で明るいイメージのあるふだんのキャラクターからすれば、ありきたりすぎるとも思えます。そうでなくてもありふれた言葉です。

ですが、このメッセージは、かつてフワちゃんがお笑いの養成所に通いながら人生に「保険をかけて」大学にも行っていたこと、保険をかけても「挑戦した」という事実に変わりはないこと、芸人として成功できるのはほんの一握りだが、お笑いの世界を離れた同期たちも幸せに過ごしている――だから、挑戦の先にあるのは成功か失敗の二択ではない――

ことなど、[言葉]**彼女自身の経験やそこから得た考え方・価値観**が詰まったものでした。

フワちゃんは、ふだん自分が見せない一面をさらけ出し、赤裸々に語る覚悟を持って企画に臨んでいたのです。

私はこのメッセージを最大限に生かすことを意識して、一緒に構成を練り上げていきました。そうして完成したスピーチは、彼女自身のさまざまなアイデアにあふれています。

出だしは、

> みんな、入学おめでとう！　フワちゃんで～す！　そうだよ～、芸能人がいきなりやってきて、みんなにいい話を聞かせるあれだよ～！　良かったね～！　でもさ、だいたいこういう場所で大人の人が語ることっていえば、「みんな、夢に向かって挑戦しろ～！」って話、一択じゃない？　**あれちょっとウザいよね（笑）**

と、つい先日まで高校生だった若い[言葉]**聞き手に寄り添い、リアルな心の声を拾い上げる**もの。これにより、会場に「ありきたりではない新鮮な話が聞ける」という期待感が生まれます。

また、

養成所に行ったって売れるのはほんの一握り、３００人中ひとりしか売れないんだよ。
あたし、そんな環境に自分の人生まるごと捧げる覚悟も勇気も持てなかったんだ。

と、言葉 **人間らしい弱みを吐露する**場面もありました。

そして、これらのくだりを前段階に置くことで、最後の言葉 **「でもやっぱり挑戦してほしい」というシンプルなメッセージがより深みを増す構成**になっていたのです。

さらに、音声・動作 **スピーチ全体をタメ口で話してみたり、途中、スマートフォンのインカメラを会場に向けて自撮りしてみたりと、彼女らしさが全開になった語り口**でもありました。

自らのキャラクターを生かしつつ、希望と不安を抱える新入生に〝ありきたり〟なメッセージを「伝える」ために、フワちゃんはさまざまな工夫を凝らし、多くの人の心を動かしたのです。

髙島さんやフワちゃんの事例から、【言葉】と【音声・動作】がどのように意識されているかということがわかると思います。

話し方の戦略の効果を最大限に発揮するためには、この両軸を合わせて実践していくことがとても重要なのです。どちらかだけでは、良いものは届きません。

体系化して理解することで、〝伝わり方〟はまったく違うものになるのです。

大切なのは「スキル」か「マインド」か

このような体系化を重要視していると、「マインドをおろそかにしている」と勘違いされることがあります。

巷の「話し方本」に〝奥義〟としてよく書かれていること、また、話し方スクールやコンサルティングなどの界隈でよく言われるのが、「スキルといった小手先のものには意味がない、本当に伝えたいというマインドが大事なんだ」という主張です。

私自身、この「マインドが大切」であることについては大いに賛成です。

しかし、「重要なのはマインドであってスキルは必要ない」だとか、逆に「重要なのはスキルであって、マインドは関係ない」といった極端な主張に関しては、違和感を覚えます。

「話し方」以外のことにあてはめて考えてみてください。

例えばふだんの仕事において、「スキルに意味がない」というケースはあるでしょうか。働く中でだんだんと、資料作成やファシリテーション、交渉などの実務的なスキルが身につき、実力がついてくるものです。

そして、大きな結果を出したいと思えば、自分がその仕事をやり抜くんだという熱意、マインドが不可欠です。

つまり、スキルもマインドも、どちらも同じくらい重要なのです。

なぜか話し方のジャンルにおいては「マインドさえ持っていればいいんだ」という論調がはびこりがちです。私はこの主張に明確に反対します。

では、私はどのように考えているのか。

結論から言えば**「スキルを学ぶことを通して、マインドを醸成する」アプローチをとり**

ます。

カエカのカリキュラムでも、基本的にはまず、個別の単元ごとに学習を行います（情報比率の活用、ストーリーテリングの手法、抑揚の要素の分解など）。

それらのスキルの重要性の理解と実践によって、自分はなにを語りたいのか、相手はどう受け取ってくれるのか、自分と相手の感覚に差はないのか、など自己探求が始まります。スキルを学習することは自分を省みることにもつながり、その結果、マインドも醸成されていくのです。

本書はスキルを章立てして取り上げていく構成になっていますが、それぞれのスキルを学ぶ過程において、自分のマインドについても振り返っていく意識で読むと、より役立ててもらえるはずです。

スキルもマインドも身につくと、うまく話すことができるようになります。

「うまく話す」という表現は、しばしば、悪い解釈をされて使われます。聞き手になにかを届けようと心を尽くすのではなく、揚げ足を取って細かく指摘したり、相手の逃げ場をふさいでやり込めたり、というニュアンスです。しかし、そうした姿勢はコミュニケーションの本質からかけ離れており、真の意味で「うまく」はありません。**自分の伝えたいことを相手に届けたり、相手と良好な関係を築いたりするために、うまく話すことを目指す**のです。

賢明な読者であるあなたには、どうか、話し手と聞き手の心がつながることを意識していただきたいと思います。

AIに代替されないコミュニケーションの価値

本章の最後に、今避けては通れないAIに関する議論に触れておきたいと思います。

近年、ChatGPTをはじめとする生成AIが、本格的に私たちのビジネスシーンに浸透し始めました。書店では関連書が山積みになり、仕事の現場ですでに活用している人も多いと聞きます。

スピーチの分野でも、例えば「朝礼で話すテーマと内容を考えて」「部下の結婚式の祝辞の原稿を書いて」などと入力すると、それらしいものが出力されます。

だからといって、もうこれからはAIに完全に任せればいい、人間はその活用法さえ知っておけばいい、とは私はまったく思いません。

むしろ「よくある形」がアウトプットされるようになった今、**人間にしか話すことのできない内容にこだわらなければならない時代になった**と捉えています。

そもそも、私たちがなんのために話すのかを考えてみてください。

仕事や学校の中で意思疎通をしていく。うわべだけではなく、心の底からお互いを信頼できるような良好な人間関係を築いていく。これから挑戦したいことをアピールし、認めてもらう。誰かに気持ちを打ち明けて手助けしてもらう。

コミュニケーションは私たちの人生の根幹にある営みであり、コミュニケーションこそが自分の人生を前に進めていきます。

人生を色濃く生きるために、個々人が抱く小さな願いから大きな野望も含めて「目的を達成する」ために、私たちは話すのです。

その本質に立ち戻れば、「話の内容はChatGPTに考えてもらえばいい」「話すのはなんとなく苦手、向き合ったことがない」という姿勢ではいられないはずです。

本章では、話し方の戦略の根底にある「体系化」についてお伝えしました。そこには、話し方に悩み向き合ってきた人たちの苦悩と成功が蓄積されています。

あなたが前に進むために、ぜひこの本をパートナーとしてご利用ください。

そして、話すことを通して、人生をより豊かにしてください。

それではいよいよ、「話し方の戦略」の実践へと進んでいきましょう。

第1部

戦略の基本

だから「伝わる」3つの原則

「話し方の戦略」
3つの原則

その1 「話す目的」を明確にする

その2 「対象者」を分析する

その3 「話し言葉」の意識を持つ

「話に戦略を立てる」ことを考えるとき、
大前提として押さえておくべき
3つの基本原則があります。
この第1部では、「戦略の基本」として、
その3つの原則について解説します。
第2部の「言葉」や
第3部の「音声・動作」に至るまで
通底してベースになるものです。
話し方に悩んだり迷ったりしたときは、
この原則に立ち返るようにしましょう。

3つの原則

その1 「話す目的」を明確にする

話すことでなにを実現したいか

原則のひとつめは、「話す目的を明確にする」ということです。

他愛もない雑談などを除けば、多くの話には「目的」があります。

ビジネスシーンなら、自社の商品を買ってもらう、企画を採用してもらう、部下に取引先との交渉を進めてもらう……粒度はさまざまですが、ここでいう目的とはつまり、「**話すことで実現したい事柄**」を指します。

これがはっきりしているのとしていないのとでは、話の質に大きな差が生まれます。

カエカでは、自分が話すところを録画して見返し、客観的に課題を発見するトレーニングを行っています。

そこで、自分が話す様子を初めて見た受講者がよく言う言葉があります。

「なんだか、言いたいことがまとまっていない気がする」

きちんと話していたつもりでも、動画の中の自分を客観視してみると「なにが言いたいのかわからない」と感じてしまうのです。

そんなとき私は「そもそも、この場において、聞き手に自分をどう見せたいか、なにを持ち帰ってほしいか、目的を考えられていますか?」と尋ねます。

そこで多くの人が、**「『とりあえずなにか話さなければ』と思って話していた。自分がまったく目的意識を持てていないことに気がついた」**とあぜんとします。

「話す目的を明確にする」という字面だけ見るとあたりまえのように感じるかもしれませんが、じつはできているようでできていないケースが、世の中には山ほどあるのです。

なぜ「校長先生の話は長い」のか？

「校長先生の話が長い」というのは、不思議と多くの人が共通して持っている認識だと思います。

現場の先生に話を聞くと、各種式典の中で、ほとんどの校長先生が決められた時間以上に話をしてしまうといいます。

もちろん、なかには規定の時間を守って素晴らしい話をする校長先生もいるそうですが、多くの場合で**「話が長い」状態に陥る原因は「目的意識の不足」にある**と私は考えます。

目的は、得てして「定期的な場面」において不明瞭になりがちです。

毎月の全校集会、毎年の入学式や卒業式……定期的にやってきて、あたりまえのようにセッティングされている場面では、「その場でこんなことを実現して、こんな気持ちになってもらおう！」という目的意識を持つきっかけがありません。

「昨年もこんな感じだったから今年もこんな感じで」といった、その場をやりこなす気持ちが先行してしまうのです。

これは校長先生にだけにあてはまることではなく、毎回同じような場が設けられている人は、よく陥ってしまう状況です。

例えば、朝会などのチームでの定例会議や、全社会などの大掛かりな会議、得意先との商談。採用面接での自社説明、イベントの挨拶なども同様でしょう。

なんとなく考えたものでどうにか乗りきれてしまったという「誤った成功体験」により、目的意識が失われた話が飛び交う会議は巷にあふれています。

話すことは「手段」なのに、それ自体が目的化してしまうと、決して人の心をつかむような話にはなりません。ただ時間を埋めていく「作業」になり下がってしまいます。

また、校長先生の例でいえば、周囲からフィードバックを受ける機会がないことも、目的意識を持つに至らない要因のひとつと考えられます。

校長先生は、聞き手の中心にあたる生徒から話のフィードバックを受けることはまずありません。卒業式や入学式で、保護者が校長先生の話を聞いたとて、なにかフィードバックしようという意識はないでしょう。我が子の節目に夢中で、スピーチの質が低くても改善を求めようとする人はそう多くはありません。

これも、読者のなかにはドキッとした人がいるのではないでしょうか。社内や取引先で**話したあとに、具体的なフィードバックを受けるという機会はそう多くないと**思います。

いずれにしても、目的を決めずに話すのは、短距離走のゴールの位置を決めずに走り出すようなもの。聞き手はどこに連れていかれるのかわからず、その道のりは果てしなく長く感じます。

つまり、「校長先生の話が長い」という共通認識は、事実として「話が長い」という面もあるのでしょうが、それにも増して、**目的がはっきりしないゆえに「長く感じる」**というのが正解なのでしょう。

私のクライアントにも、学校の校長を務めていて、より一層伝える力を磨きたいという人がいます。

基本となるのは、その都度「どんな目的で話すのか」をすり合わせること。

「生徒たちに前向きな気持ちで新年度を迎えてほしい」ということだとすれば、それに沿ったエピソードや項目、報告内容を厳選して話さなければならないのです。

目的が決まるとコミュニケーションが変わる

では、「目的」とはどの程度の粒度を指し示すのでしょうか。

目的は、**自分自身が納得感を持てるならば、抽象的でも具体的でもかまいません。**

私の場合、抽象度の高いものであれば「信頼できる人だと思われたい」「熱量のある人だと思われたい」といった、理想的な印象を目的として置く場合もあれば、「ゆくゆく必要なタイミングでカエカを思い出してもらえるような話がしたい」「自分の話を通して勇気づけたい」といった、印象にとどまらない、価値観や行動が伴う効果を目指して話すこともあります。

抽象的な目的をさらに深掘り、定量的にすることもできます。例えば、講演会やセミナー登壇のアンケートで「『とても満足』の評価を8割獲得する」「登壇後にインターンへのエントリーを10件獲得する」などが挙げられます。
私は状況に応じて、目的の粒度のグラデーションを調整しており、いずれにしても大切なのは、自分にとって納得感のある目的を言語化することです。

目的を定めるべきタイミングは、「話し始めるより前」です。

例えば、プレゼン本番の数週間前。例えば、スピーチ本番の数日前。時間が限られているときは、話し始める直前でもかまいません。

話し始めてからは、意識をするタイミングはありません。

きっちりした目的を毎回定めるのはもちろん大変な作業です。

ですが、目的の達成を念頭に置き、自分のコミュニケーションが適切かどうかを自問することは、感情や気分任せで話さないという制御にもなりますし、相手を大切にするマインドセットにもつながります。

目的を定める良さのひとつに「**アウトプットを振り返ることへ意識が向く**」という点が

あります。

カエカに参加する受講者には、自分が話しているところの録音や録画を見聞きしたり、自分の話の感想を聞いたりすることを必ずやってもらいます。始めは、ほぼすべての人が振り返りを嫌がります。

ですが、目的を定めたならば、その実現につながる話ができたのかをきちんと確認し、達成度合いを測らなければなりません。

とくに、定性的な目的を設定していた場合は、聞き手の意見を聞くことは必要不可欠でしょう。

自分の思った通りの反応が返ってきたとき——つまり、立てた目的を達成できたとき、あなたはより一層、精神的に強くなることができます。

なぜなら、**自分のコミュニケーションによって、達成したいことが達成できたという成功体験は、なにものにも代えがたい自信につながる**からです。

よく、「どうやったら自信を持って話せますか？」と質問を受けるのですが、私は「しっかりと目的を達成できた経験を積み重ねることでしか、自信を身につけることはできない」

と考えています。

私自身はいつも、目的を定めて話し、その目的が達成されたか確認をしています。しっかりと達成できなかったときは、なにが足りなかったのか、周囲からフィードバックをもらったり、自分で思い返して反省したりします。

うまくいったときは素直に喜び、いただいた感想をメモしておきます。そしていまでも、過去にもらったお褒めの言葉を思い出す瞬間があります。

「自分にも人の心を動かし、行動を変える力がある」という信念を育むには、この方法が私には最適でした。

そして、読者のあなたにとっても良い方法だと考えています。

自分の理想や、やりたいことへの道を切り拓くために。トライアンドエラーを繰り返して、話の精度を上げるために。

なにをおいても、「話す目的」を明確にすること。

これが「話し方の戦略」のスタートラインです。

その2
「対象者」を分析する

話の「難易度」をどこに設定するか

原則のふたつめは、「対象者を分析する」ことです。

「対象者」とは、この場合「話を聞いてくれる人」もしくは「会話をする人」を指します。

「対象者を分析する」とは、平たく言えば、聞き手の属性や状況、コミュニケーションのスタイル、持っている知識量などの見当をつける、ということです。

これもあたりまえのことではありながらも、じつは多くの人ができていない点です。

よくある例をご紹介しましょう。

私たちのトレーニングの受講者に、毎週の朝会で従業員に向けて話をしているという経営者の方がいました。しかし、その原稿には経営の専門用語や高度なビジネス用語など、年齢や職種の異なる多様な従業員にとっては難しい言葉が多分に含まれていたのです。

このように、自己の世界が「みんな知っていてあたりまえ」のものとなり、適切な言葉を選べなくなる状況はよく起こります。

例えば、次の文章を読んでみてください。

スタートアップのシードラウンドはバリュエーション2〜3億円からスタートすることが多い。VCはM&AやIPOを通じたイグジットを前提としながらも、初期段階ではビジネスモデルやトラクションより、経営者の人柄やビジョンを重視している。

スタートアップやベンチャーで働いている人は内容を理解できますが、まったくこの業界を知らない人に伝わる言葉ではないでしょう。

政治の現場でも同様のことはよく起こります。

「X選挙区ではA候補とB候補が伯仲している。A候補は無党派層や都市部の支持拡大を目指して駅頭活動や桃太郎に注力しており、B候補は郊外や農村部の支持固めを意識した川上作戦や戸別訪問を重視している。次点候補の惜敗率にも注目が集まる。」

内容を理解できる人と、まったく頭に入ってこない人がいるはずです。

一方で、前提となる知識や状況を共有できている人に対して平易な言葉を使うことで、充実した話ができない場合もあります。いわゆる専門用語などを適切に使うことができれば、相手とより深く、真髄に迫った話ができるメリットもあります。

つまり、言葉が難しいから、専門的だから悪いわけではなく、共通理解を持っている人同士であれば、むしろそのまま話すべきなのです。

しかし、前提が共有できていなかったり、新しい知識を得ようとする相手に対しては、言葉や表現を嚙み砕きながら話をしないと、理解を促すことができません。

マーケティングなどと同様、どんなに強い目的意識を持っていても、ターゲットに伝わる言葉でなければ、それはこちらの目的意識〝だけ〟にすぎず、達成されるコミュニケーションではなくなってしまうのです。

対象者の属性を理解することができて初めて、適切な言葉の難易度や解釈を定めることができます。

「中学2年生に伝わる話し方にしなさい」

かくいう私自身、このことを意識できていなかったと気づかされた経験があります。

高校1年生で初めて弁論の原稿を完成させたとき、当時の顧問から「**中学2年生に伝わる話し方にしなさい**」と指摘されたのです。

年次が上がると扱うテーマの専門性が高くなり、知識量も増えてきます。しかし、それをひけらかしたり、難しい表現を使ったりすることは自己満足にすぎない。前提となる知識を共有できていない聞き手——当時でいえば中学2年生ぐらいの後輩たちでも理解できるように話さなければ意味がないのだと、この言葉は教えてくれました。

あなたが難しい言葉を使うことによって、あなたが本来巻き込めるはずの人を巻き込めていないリスクすらあるのです。

だからこそ、どんな言葉や表現で話すのかを決めるために、対象者の属性、これから話す内容の専門性にどの程度触れたことがある人なのか、というところをまず分析していただきたいのです。

前提が共有できる人には、深みのある内容を。前提が共有できてない人には寄り添った解説を。この観点を大事にしてください。

返す返すも、私のクライアントでは、前提が揃っていない人に対して、難しい言葉で話しているケースが圧倒的に多いです。

今の業界や職種でキャリアを積んでいる人ほど、この点をまずは省みてほしいと思います。

聞き手はあなたの話を「本当は聞きたくない」?

対象者の「気持ち」を考えることも同時におすすめします。

そもそも自主的に話を聞きたいと感じているのか、もしくは、仕方なく聞いているのか——。

私はよく講演会に呼んでもらうのですが、会場によってその空気はさまざまです。

もともと、自主的に聞きたいと感じている人が多くいて、ウェルカムな雰囲気であれば、シンプルに本題に入ります。

一方、他のことで忙しいのにどうして話を聞かなければならないんだろう、というような雰囲気の人が多いと感じたときは、まず私を応援してもらう土台をつくろうと工夫しています。

「この人たちが話に前向きでないのは、きっと〝どうせまた、意味のない研修に付き合わされるんだろうな〟と思っているからだろう」と仮説を立てることができれば、自己紹介の分量を少し増やしたり、会社にどれだけ実績があるかを話したりします。

話の場そのものに懐疑的な人に対し、ストレートに具体的な内容に入るのではなく、「**これからあなたに聞いてもらう価値のある話をします**」と、場の空気を温めていくイメージです。

話を進める中で、乗り気でない人へ視線を多めに送って、どんどん表情が変わっていく過程を追ったりもします。

対象者側の「話に対する姿勢」は、文字通り、体の姿勢に表れるものです。

机に身を乗り出して前のめりになっていたり、話し手と目を合わせてうなずいたりしていれば、前向きに話を聞こうとしてくれているとわかります。

腕を組んで眠そうにしていたり、ずっと資料に目を落としていたりすれば、積極的に話を聞きにきてはいないな、と察することができます。

あなたの話を聞く対象者がどんな気持ちでいるのか、観察して探ってみてください。

同時に、対象者の様子から「どんなコミュニケーションを好むか」ということも見えてきます。

結論から端的に聞きたいタイプか、順を追って話を聞きたいタイプか。比較的和やかに話を進めたいか、効率的でしっかりとした会話を好むのか。

話すスピードや感情の表れ方などのその場の雰囲気から、傾向を確認しましょう。

私は、相手がひとりならその人のスタイルに、複数人なら全体的な様子を察知して、極力多くの人に該当するスタイルで話をするように心がけています。

このように、目的はぶらさずとも、その目的の対象者となる聞き手側がどんな気持ちやコミュニケーションスタイルを持っているかによって、話し方には違いが出てくるのです。

コミュニケーションは「相手ありき」

このような対象者分析を行い、話していくことにおいて、私が大切にしている信条があります。

それは、「**相手ありき**」で考えるということです。

相手ありきというのは、自分がうまく伝えられているだろうという驕りや過信を持つことなく、相手の立場に立って話し方を磨くということです。

シンプルにいえば、「相手がいないとコミュニケーションは成立しない」のです。

至極あたりまえのことなのですが、この大前提に立ち戻ることはとても大切です。

相手の視点に立たず、自分が話しやすいこと、自分のテンポや流儀を誇示してしまうような人は大勢います。いうなれば、それは「**独りよがり**」の状態です。あなたはあなたが思っている以上に、完璧ではありません。

話すという行為においてもっとも重要視されるところは、**自己評価ではなく、他者評価**なのです。

他者の気持ちに寄り添う、というあたりまえのことが意外とできない。
だからこそ、意識してほしいのです。
そうすることで、相手の心に本当に響く適切な戦略を立てて話すことができます。

「話が伝わらない」のは話し手の責任

では、「相手ありき」とはどのようなものなのか。

聞き手の立場に立って、相手が受け取りやすい言葉を使うこと。伝えたいメッセージをひとつに絞って話すこと。決められた時間を守って話すこともそうです。

1対1で話すときも同様です。この会話で、相手が私に伝えたいと思っていることはなにか。そこに対して自分は、提案や共感などプラスの働きにつながることができないだろうか。

そう考えながら話すのです。


よく、「話すことよりも聞くことが大切」という言葉を目にすることも多いですが、指し示しているのは同じところ。

要は**「相手が言葉を受け取ったあとどう考えるのか」をつねに考え、行動に移していく**ことの重要性を指し示しているのです。

目的を達成したいがために、話し続けたり、強い言葉を使いすぎたりすると「独りよがり」になり、かえって目的の達成から遠のいてしまいます。

「話が伝わらない」ことを、聞き手の知識や経験の不足のせいにする人がたまにいますが、それはすべて自分の責任です。

聞き手はどういう属性の人で、どれくらいのスピード感だと理解できて、どれくらい嚙み砕いて表現したら話に納得してくれるのか。
それを考えるのは、話し手に課せられた使命なのです。

自分も相手も心地よい状態を目指す

こうした指導を行っていると、「相手のことを考えていると、自分のペースが崩れて話しづらいんです」と言う人がときどきいます。

はっきり言えば、それはあたりまえです。

自分が心地よく話せる状態が、相手にとって心地よいかというと、まったくそうではありません。

話すときに置くべき視点は、「自分が」心地よいとか、「自分が」こういう状態がいいという部分ではなく、まず「相手が」どこを正しいと位置づけるのかというところ。

「自分がやりやすいからこうするんだ」を疑う必要があることをまずは理解してください。

ここまで読んで、「原則その1」での「自分の目的を重要視すること」と、この「相手の視点で考えること」は、相反することもあるのでは？どちらを大切にすればいいの？と感じた人もいると思います。

実際のところは、「相手の視点に立ちながら言葉を紡ぎつつ、自分が伝えたいことを言う」ということになります。

つまり、**「自分」と「相手」というそれぞれの人間を尊重しながら話すというバランスを取っていかなければならない**と認識してほしいと思います。

自分が良い状態と相手が良い状態がどこで嚙み合うのか、実際に話してみながらトライアンドエラーを繰り返すサイクルも、話し方を磨く過程では必要になります。

自分も相手も大切にする。どちらかだけに引き寄せられてしまうと、本来の自分らしさを失ってしまうこともあります。

この適切な塩梅とバランス感覚が、あなたの未来につながります。

3つの原則

その3 「話し言葉」の意識を持つ

「話す」とは「音」のやり取り

基本原則の最後は、「話し言葉の意識を持つ」ことです。
「話し言葉」にはいくつかの特徴があります。
その特徴を理解すると、発する言葉の質が変わってきます。

まず、話し言葉とは、音声情報として伝わるものです。
話し言葉と対照的な関係にある「書き言葉」が「文字」として読み手に届く一方、話し言葉は「音」で聞き手に届きます。

音には形がありません。

書き言葉の場合は、一定の時間をかけて文章が形成され、あとからでも振り返ることができます。私がいま本に書いているこの言葉は、いつでも読み返すことができますが、話し言葉は、基本的には時間とともに消えてなくなります。

話し言葉のアウトプットは時間とともに消えていく。つまり**「話す」とは、瞬間的に言葉の解釈をしなければならない、とてもシビアなコミュニケーション形態**なのです。

また、書き言葉の場合は、いちど書いたものをあとから削除したり加筆したりすることが可能ですが、話し言葉の場合はいちど言ってしまえばそれを取り消すことはできません。

よく、失言をした政治家が「発言を撤回します」と釈明することがありますが、本人が撤回宣言をしたとて、「言った」という事実はずっと残り続けるのです。

「一字一句記憶されている」という大誤解

このような特徴を理解すると、世の中は「話す」という行為への誤解であふれていることに気がつきます。

もっとも多いのは、「自分が話したことは全部相手に記憶してもらえている」という思い込みです。

音声として流れ、時間とともに消えてなくなる情報を、聞き手が一字一句覚えているわけがありません。

にもかかわらず、話す側は自分の話した一字一句がすべてきれいに覚えられていると思いがちです。そうして、次々に言いたいことを言い足してしまう人がいるのです。

これが、話し手が情報量を詰め込みすぎて冗長な話になり、聞き手がなにも記憶できなくなる、といった事態を引き起こす理由となっています。

話し手はなにを話したか覚えていても、聞き手側はなにを聞いたか覚えていないのはよくあることです。

まずは、1対1だろうと、1対複数だろうと、自分が話した情報が「すべて相手の記憶に残っていると思わないこと」が重要になります。

そして、なにも全部を覚えてもらう必要はない、と思考を転換しましょう。

その前提に立つと、余分な言葉や段落を思いきって削除したり、いちばん伝えたいことの記憶への定着を助ける言葉や表現を探していけるようになります。

そして、与えられた時間の中でどこを記憶してもらって、どういう印象を持ってもらうかという、戦略的な考え方ができるのです。

この点を見極めなければ、せっかく話しているあなたの時間も、聞いてくれている相手の時間も無駄になってしまいます。

「一文の長さ」を短くして理解を促す

話し言葉が「音」で伝達されているがゆえに、時間の制約があること、記憶されない懸念があることをお伝えしてきました。

この前提をより一層実感してもらうために、「一文の長さを考える重要性」について解説しましょう。

ここでいう一文とは「みなさん、こんにちは。」や「今日は、会社紹介をしていきます。」といった、話し始めから句点がつくまでを指します。

先ほどの時間と記憶の関係に立ち返るとわかりやすいのですが、この**一文の長さが短いほど意味がわかりやすく、長いほど意味がわかりにくくなります。**

例えば、次の文章を「音声」で聞くイメージで読んでみてください。まずは一文が長くてわかりにくい例からご紹介します。

Bad

今期の事業計画について話していこうと思いますが、まず、前期の計画の振り返りからしていこうと思いますので、こちらをご覧いただきますと、前期は売り上げが3億2000万円となり、目標額達成ということで、チームのみなさんも頑張ってくれたと思います。

話し始めから句点がつくまでの一文が120文字（読点、句点を含め）あります。どこに情報の区切れがあるかわかりづらく、情報がどんどん流れてしまいます。

前の文章を聞いているあいだに次々に新しい情報が重ねられるので、重要なポイントが理解できなかったり、最初のほうに聞いたことを忘れてしまったりすることで、全体の意味が理解しにくくなるのです。

文章で繰り返し読むとなんとなく意味はわかりますが、消えていく「音」として、**着地点がわからないまま長時間にわたって話が続くと、記憶と理解が崩壊**してしまいます。

一方で、わかりやすい形として、一文ごとに区切るとこのようになります。こちらも音声で聞くイメージで読んでみてください。

Good

今期の事業計画について話していこうと思います。まず、前期の計画の振り返りからです。こちらをご覧ください。前期は売り上げが3億2000万円となり、目標額達成となりました。チームのみなさんが本当に頑張ってくれたと思います。

明確に一文が短くなりました。5つの文章に分かれ、文字数はそれぞれ23文字、18文字、11文字、32文字、25文字です。

ひとつの文章の中に入る情報が厳選されることにより、**句点がくるたびに内容が記録されていくような感覚**を持っていただけると思います。

細かく文章を区切って一文ごとの時間を短縮し、句点のたびに理解の回数を増やしていく。そうすることで、情報がわかりやすくなっています。

このポイントは、じつはかなり多くの人がうまくできずに苦労します。

なぜ、このようなことが起きやすいのでしょうか。

とくに日本では、書き言葉に比べて、話し言葉を学ぶ機会は多くありません。

書き言葉に偏重して学んできた人たちは、書き言葉と話し言葉の性質の違いを認識しないまま、話し言葉用の原稿を書いてしまいがちです。

そのため、社会にさまざまに存在するスピーチやプレゼンは、話し言葉を前提としてつくられておらず、一文が長い状態があたりまえになってしまっているのです。日常的な会議や面接の場面でも、一文が長くてわかりづらい話をしている人はとても多くいます。

政治関連の記者会見では、これが顕著に表れます。

２０２１年7月、新型コロナウイルスによる緊急事態宣言に関する会見はこのように始まりました。

Bad

先ほど新型コロナ対策本部を開催し、埼玉県、千葉県、神奈川県、大阪府に緊急事態宣言を発出するとともに、北海道、石川県、京都府、兵庫県、福岡県にまん延防止等重点措置を実施し、期間はそれぞれ8月2日から8月31日までとすること、東京都、沖縄県の緊急事態宣言を8月31日まで延長することを決定いたしました。

一文が１４７文字、いきなりの長文です。

これでは、聞き終わったあとにすべてを記憶しておくことなどできません。県名を並べているときはなにが発出されるのかがわからず、聞いている人は困惑します。

こうした政治関連の記者会見の原稿を書くのは官僚や役所の職員です。彼ら彼女らは、日々の仕事の文化のもと、不足なく情報を書き連ねる書き言葉に慣れきっているからか、スピーチ原稿も書き言葉の要領でつくってしまいがちなのだろうと推測しています。

話し言葉の「音」という性質をよく理解している人がいれば、このようなアウトプットにはならないでしょう。

もし私なら、こうします。

Good

先ほど新型コロナ対策本部を開催いたしました。このたび、緊急事態宣言を埼玉県、千葉県、神奈川県、大阪府に発出します。また、まん延防止等重点措置を北海道、石川県、京都府、兵庫県、福岡県にて実施いたします。期間はそれぞれ8月2日から8月31日まででとなります。また現在、緊急事態宣言が発出されております東京都、沖縄県につきましては宣言期間を8月31日まで延長することを決定いたしました。

一文でつながっていた文章を、5つに分けることができました。

話し言葉として発せられたとき、「なにがどこに発出されるのか」「なにが話し合われたのか」「期間はいつなのか」、一文が短いことで理解しやすいはずです。

IOCバッハ会長が陥った〝話し言葉の罠〟

話し言葉には〝罠〟もあります。

それは、「準備しなくてもいい」という考え方です。なんとなく頭の中で話すことをイメージしておけばいいだろう、本番になればなにか言葉が出てくる、即興で話せるので準備なんて必要ない……というものです。

これはとても大きな罠で、多くの人が陥りがちなのですが、私はこの考え方には断固、反対です。

準備の程度はさまざまですが、事前に聞き手のことを調べておくというライトなものから、スピーチ原稿をしっかりつくって練習するというヘビーなものまですべて含めて、**準備をすることはとても重要**だと私は考えています。

なぜなら、目的を達成するためには、話す時間を有意義に大切に扱うべきだからです。

私は昔から疑問に思っていることがあります。

例えば大企業が新商品を発表するとき、広告代理店が入って、盛大なイベントを行います。

会場を押さえて、撮影機材を揃えて、照明を用意して、ここまでで数百万~数千万円規模の投資をしている場合もあるのに、なぜか「スピーチ」だけは、前日まで内容が決まらず、いちども内容を声に出してすらいない状態で本番に臨み、原稿を棒読みするだけ……というケースがあるのです。

場合によっては、来賓の挨拶などは〝出たとこ勝負〟のごとく、一か八かみたいなことさえあります。

この悪習慣によって悲劇が生まれたのが、東京五輪の開会式でした。

IOCのトーマス・バッハ会長（当時）は、本来5分の枠で、13分と非常に長くスピーチしました。

かつて私はそのスピーチ分析を行ったのですが、「感謝の言葉が多すぎる」「いちど締めくくられるだろうと思ったところで、まったく終わらず次の話が始まる」「直前に登壇した橋本聖子会長の話と被る部分がある」など、悪いポイントは枚挙にいとまがありませんでした。

例えば、バッハ会長にきちんとしたスピーチライターが付いていたらどうだったでしょうか。おそらく1週間前には原稿が完成し、実際に話してみて時間を計るでしょう。13分もかかってしまうことがわかれば、どこを削っていくべきなのかという建設的な議論ができたはずです。

もちろん、私には当時の状況を想像することしかできないわけですが、世界的な祭典の場においても、そんなことが起こってしまうのです。

「準備」がパフォーマンスを最大化する

準備は自分の思考を整理する行為です。そして、最大のパフォーマンスを生みます。

私が結婚式の友人代表や乾杯の挨拶を頼まれたときは、必ず1週間以上前から原稿を書き始め、家族や同僚からフィードバックをもらいます。

1週間〜3日前までには原稿を完成させ、暗記します。一段落ずつ音声をボイスメモに入れ、原稿のテキストを見ながらシャドーイング（音声を聞きながら同じ内容を追いかけるように話す）する形で言葉を頭のなかに入れていきます。

そうして、本番に臨みます。

もちろん、「準備をしない」ことでパフォーマンスを最大化する人も世の中にはいます。

例えば、脳科学者の茂木健一郎さんは、私と対談をした際も、一切打ち合わせをせずにスタートしました。

茂木さんは、脳科学的にも「自分がそこにいるという意識、目の前の人に集中する」というスタンスで話したほうが、自分らしくコミュニケーションが取れるという人で、その日も素晴らしいアウトプットを出していました。

しかし私の経験上、こうしたやり方で良いパフォーマンスが出せるのはほんの一握りの人だけです。

ほとんどの人は、準備をしたほうが最大のパフォーマンスを出すことができます。

話し方サポートの仕事をしていてよく言われる言葉のひとつに、「準備すると自分の言葉ではなくなる」というものがあります。これを理由に、頑なに準備しない人が一定数います。

もしその方法で、メディアのコメンテーターなどコミュニケーションの仕事を複数受け持ち、多くの人から話がわかりやすい、心が動かされたなどと言われているならばそれでいいのですが、おそらくそうではないと思います。

準備をした言葉が「準備したように聞こえる」のは、それも技術不足です。

しっかりと学習し、本当の確かな準備をしていれば、準備をした言葉であっても、人間味のない、味気ないものになることなどまったくありません。

「ありのままの自分を」や「下手でもいいからとにかく思ったことを」など、話し言葉に対する〝俗説〟は世の中に蔓延していますが、すべてを鵜呑みにせず、適切に準備を行うことに重きを置きましょう。

「いちど準備したことがあるけれど、うまく話せなかった」という人は、準備したうえでうまく話せるようになる方法を知らないだけです。

厳しい言い方ですが、**準備するという大事なプロセスから逃げている**ように思えます。

時間が限られる話し言葉だからこそ、どのように有効活用すべきかを考えてみてください。

「話す」というのはあまりに〝あたりまえ〟の行為であるため、誰もが「なんとなくできるよね」と思いがちです。

ですが、あたりまえすぎて気づかない落とし穴がいくつも存在するのです。

だからこそ、話し言葉の特徴を正しく認識し、きちんと鍛えることができれば、さらに前へと進んでいくことができるでしょう。

第2部

「言葉」の戦略

「言葉」の戦略

言語化…………コアメッセージをつくる
コアメッセージを磨く

構成………………目的に沿った順番で話す
情報のバランスを考慮する
一貫性のある話をする
冒頭と締めを工夫する

ストーリー……共感を呼ぶストーリーを語る
自己の弱み・強みを開示する
時間軸・感情・五感を描写する

ファクト…………適切な事実情報を抽出する
自分と社会を接続する
数字で表現する

ストーリーとファクトを組み合わせる

レトリック……会話文・名言を引用する
聞き手の気持ちを代弁する
「場」の価値を強調する

第1部の「3つの原則」の通り、
まずは、なにを目的として、誰に向けて
話すのかを考える癖をつけましょう。

第2部では、
その目的と相手が定まったことを前提に、
話の根幹となる「内容」を
どうつくっていくかを解説します。

もっとも伝えたいことをひとことで表す、
大事な内容が際立つような順番で構成する、
共感を生み説得力をもたらす要素を配置する。
あなたの「言葉」を磨いていきましょう。

第1章

言語化

伝えたいことを「ひとことで言うと」

「つまりなにが言いたいのか」をフレーズ化する

「話す目的を達成する」うえで、欠かせないものがあります。

それは、**「コアメッセージ」**です。

コアメッセージとは、**話す目的を明確にしたうえで、具体的なフレーズに落とし込んだものを**指します。

話す目的が明確であっても、コアメッセージが抜け落ちているケースは多くあります。本当に伝えたいことを明確にし、相手の記憶に残る話をするためには、コアメッセージは欠かせないものです。

例えば、会議で来期への抱負を語る場面があったとします。次のふたつの例を比べてみてください。

Bad

部長の山田です。今期は素晴らしい結果を出すことができましたね。本当にお疲れ様でした。来期に関しましては、事業が伸びている今だからこそ、自分たちの組織に問題がないか、冷静に見つめ直しながら前に進んでいくことが重要だと思っていますし、その冷静さの中にも、新しいチャレンジができているか、心に問い続けたいですね。そして、ひとりひとりが楽しんで仕事をしていくことがチームを強くすると考えています。頑張りましょう！

「組織を冷静に見よう」「チャレンジをしよう」「楽しんで仕事をしよう」……聞き手からすれば「なんとなく前向きなこと言ってたな」という印象しか残らない、輪郭のぼやけた話です。

コアメッセージを明確にしてみましょう。

Good

部長の山田です。今期は素晴らしい結果を出すことができましたね。本当にお疲れ様でした。来期、とくに重要だと思うことがあります。それは、「事業が伸びている**今こそ冷静になる**」ということです。冷静というのは悪い意味ではなく、過信せずに前向きになる、という良い意味です。冷静さを持つことで、組織の課題にしっかり向き合うことができ、結果的に、これまでと同様の質の高い新しいチャレンジができると考えます。「**今こそ冷静になる**」。それが、日々の楽しさを生み出します。一緒に頑張っていきましょう。

つらつらと話していた内容が「今こそ冷静になる」というワンフレーズにまとまり、クリアに伝わってきます。

このように、コアメッセージとはいわば、**「つまりなにが言いたいのか」をひとことで示すもの。**

コアメッセージがあると、伝えたいこと、大事なことを聞き手の記憶に残すことができ、話全体もまとまったものになります。

聞き手に多様な解釈を「させない」ために

逆に、コアメッセージがなければ、話全体が支離滅裂になり、結局なにを言いたいのか、自分でも見失ってしまう場合もあります。そうなると当然、聞き手も話の主旨を理解できません。

また、聞き手がそれぞれ独自の理解をしてしまうことも起こり得ます。

先のBadの例でいえば、言葉の一つひとつから勝手に解釈を広げて「組織に問題があるの？」「新しいチャレンジをしようってことね」「このまま前にどんどん進んでいかなくちゃ」と、話し手の意図とは異なるさまざまな受け止められ方をされかねません。

よく、優れた映画や小説は受け手に解釈の余地が開かれている、という言い方がされますが、目的のある話においてはまったく逆。

時間とともに消えていく話し言葉において、伝えたいことを聞き手にきちんと伝え、記憶に残すためには、コアメッセージという形で端的に示すことが不可欠なのです。

2023年、WBC（ワールドベースボールクラシック）決勝のアメリカ戦で、大谷翔平選手が試合前に行ったショートスピーチが話題になりました。

僕から一個だけ。**憧れるのをやめましょう**。ファーストにゴールドシュミットがいたりとか、センター見たらマイク・トラウトがいるし、外野にムーキー・ベッツがいたりとか。野球をやってれば誰しもがこう、聞いたことがあるような選手たちがやっぱりいると思うんですけど。今日一日だけは、やっぱり憧れてしまったら、超えられないんで。僕らは今日超えるために、やっぱりトップになるために来たので、今日一日だけは、彼らへの憧れを捨てて、勝つことだけ考えていきましょう。さあ、行こう！

「憧れるのをやめましょう」というコアメッセージによって、話全体にまとまりが出ています。

野球界の大スターが名を連ねるアメリカ代表との一戦を前にして発せられたこのメッセージは、目の前の対戦相手は憧れの存在ではなく打ち勝つべき対象なのだ、ということをチームメイトに強く印象づけたはずです。

コアメッセージはとにかく「わかりやすく端的に」

ここからは、具体的に話す目的を言語化し、コアメッセージとして落とし込む方法を解説していきます。

コアメッセージを作成するにあたり、まず意識すべきは「**文字数を減らす**」ことです。コアメッセージは、短ければ短いほど記憶に残りやすくなります。

Bad
今の私たちに必要なことは「お互いに協力し合いながら継続する力を持つこと」です。

Good
今の私たちに必要なことは「**継続する力**」です。

前者は後者よりも詳しく、過不足がない印象を受けますが、意味をわかりやすく理解することができません。後者のほうが一字一句間違いのない形で、聞き手の記憶に残ります。

では、文字数はどのように捉えていくのがいいのでしょうか。

カエカでは、話し言葉の音の数を「**モーラ数**」というものでカウントしています。モーラとは音の長さを数える際の単位です。基本的にはひらがなの数を数え、漢字も読み仮名の発音でカウントします。音引き（「ー」、いわゆる「伸ばし棒」）は1文字に換算し、小さい「つ」や「やゆよ」はカウントされません。

例えば、「言葉」は「こ・と・ば」で3モーラ、「トレーニング」は「と・れ・ー・に・ん・ぐ」で6モーラ、「チャレンジ」は「ちゃ・れ・ん・じ」で4モーラになります。

モーラ数の考え方は短歌や俳句でも用いられていますので、その数え方を念頭に置くと、理解しやすくなります。

私がこれまで原稿ライティングや話し方トレーニングを行ってきた経験上、言葉に発したときに**記憶に残りやすいモーラ数は20以内**です。

モーラの長さはその言葉を発するときの秒数に影響があります。20モーラ以内だと平均的に3秒程度で話されることが多く、ピンポイントで聞きやすくなります。

コアメッセージは「わかりやすく端的」に。

これを前提に置いて考えていきましょう。

実際に動いてほしいのか、考え方を持ち帰ってほしいのか

それでは、コアメッセージにはどのような言葉が適切なのでしょうか。

質の高いコアメッセージには2種類あります。

「**行動依頼**」パターンと「**価値観提供**」パターンです。

行動依頼

文字通り、**聞き手の〝行動〟に関わる具体的なお願い**をすることを指します。

仕事場での激励として「果敢にチャレンジしましょう」、取引先への「商品の購入を前向きにご検討ください」、部活の後輩への「一生懸命練習しましょう」といった、具体的なアクションが伴うコアメッセージは、行動依頼に該当します。

言葉の語尾が「しましょう」「してください」など、相手に呼びかけるものであれば、

行動依頼です。先ほどの大谷選手の「憧れるのをやめましょう」も、「やめる」という行動を依頼しているため、行動依頼にあたります。

一般的なビジネスシーンではこのパターンが多いのではないでしょうか。

価値観提供

聞き手に、**なにかの事柄についての〝考え方〟を持ち帰ってほしい**場合です。

例えばカエカがプレゼンをするときに欠かさず言う「話し方を変えると人生が変わる」、結婚式のスピーチで主賓が語る「お互いへの想像力が大切です」などが該当します。

「〜と知りましょう」といった、考え方を受け止めることを指す言葉がつく場合や、「〜が大切」「〜が重要」といった言葉を加えても違和感のないものが価値観提供となります。

式典の祝辞や、企業のトップレベルがスピーチするような場合は、こちらのパターンもよく見受けられます。

つまり、**「チャレンジしましょう」であれば「行動依頼」**、**「チャレンジが大切です」であれば「価値観提供」**ということになります。

まずは、自分が相手に届けたいメッセージは「行動依頼」「価値観提供」のどちらにあたるのか、考えてみてください。

次項では、話したい内容はなんとなく浮かんでいるんだけど、どんなコアメッセージにすべきかパッと判断がつかない……というケースでの、コアメッセージ生成の「型」を解説します。

すぐに定められる場合は、次項を飛ばして、さらに先の「コアメッセージを吟味する」プロセスに進んでもかまいません。

コアメッセージをつくる3ステップ

「行動依頼」か「価値観提供」かを決めきれない場合に、コアメッセージをつくるための「型」を解説します。

【コアメッセージをつくるための型】

①目的設定・対象者分析
②対象者に伝えたいことの書き出し
行動依頼：
価値観提供：
③いちばん伝えたいコアメッセージをひとつ選択する

①目的設定・対象者分析

「コアメッセージをつくる」とひとことで言っても、なにもないところから生み出すのは難しい。

立ち戻るべきは、そう、話し方の戦略の3原則です。なかでもここでは、**「目的を明確にする」ことと「対象者を分析する」ことを思い出しましょう。**

その話はなんのためにするのか。話した先に、聞き手にどうなってほしいのか。まずは目的をおさらいしましょう。

そして、「話す」とはコミュニケーションですから、誰に向かって話すのか、聞き手がどんな人かを考えます。特定の誰かひとりということもあると思いますし、1対nで複数を相手に話すこともあるでしょう。

おおよそビジネスシーンであれば、話す相手が誰だかわからないということはあまりないと思いますが、もし難しい場合は、**話す「場」の名称から考えるのも手**です。「株主総会」であれば、投資家、株主。「プレス発表会」であれば、メディア。「部会」であれば、その部のメンバー。

話す対象がはっきりすると、コアメッセージが明確になりやすいです。

②対象者に伝えたいことの書き出し

対象者を想像し、伝えたいことを書き出します。

コアメッセージは特別難しいことやおしゃれな表現にまでこだわってつくれなくても問題ありません。

自分の考えた言葉でもいいですし、「継続は力なり」「Stay hungry, stay foolish.（ハングリーなままであれ、愚かなままであれ）」など世の中にある言葉を引用してもかまいません。

あなたの**言いたいことが短く、コンパクトにまとまっていることが重要**なのです。

このとき、行動依頼と価値観提供を書けるだけ書き出してみると、本当に伝えたいことはなんなのか、頭の中が整理されて、次第にメッセージの方向性も定まってくるでしょう。目的を設定し、対象者を「分析」する。頭のなかでアイデアを「拡散」させ、伝えたいことをどんどん書き出していく。ここまで進んだら、続いてはコアメッセージをひとつに「収束」させていきます。

要点を絞る勇気が「伝わる話」につながる

③いちばん伝えたいコアメッセージをひとつ選択する

複数のコアメッセージを書き出したら、そのなかからひとつを選びます。

伝えたい思いが強い人ほど、すべてのコアメッセージを強調したくなるものです。ですが、その中でも**「これがいちばん言いたいことだ」というコアメッセージをひとつ定めることができると、話に緩急がつき、聞き手の記憶に残るわかりやすい構図となります。**

例えば、OB・OGとして、部活のメンバーに激励メッセージを贈る場面があるとしましょう。

先輩として、後輩たちに言いたいことは山のようにあるでしょう。「練習を重ねてベストを尽くしてほしい」「この機会にチームの仲を深めてほしい」「他の人のパフォーマンスをよく見て学びを得てほしい」……。

このとき、コアメッセージを絞らずに話すと、以下のようになります。

Bad

みなさんにはぜひ、来月の試合を頑張ってほしいですし、他の学校の参加者も含めた多くの人と交流してほしいと思います。そして、最大限努力して練習すれば、そのぶんうまくなります。そして、他の人の本気のパフォーマンスからも学びを得てほしいと思います。

前向きな内容であることは間違いないのですが、「多くの人と交流してほしい」、「努力して練習してほしい」、「他の人のパフォーマンスから学びを得てほしい」などの「要望」が多すぎて、どれがもっとも伝えたいことなのか判断できません。

ここから「練習してほしい」をピックアップして、「練習量にこだわりましょう」という言葉に軸を定めると、どのように聞こえ方が変わるでしょうか。

Good

いよいよ来月は試合です。試合を乗り越えるためにたったひとつ言いたいことがあります。「**練習量にこだわりましょう**」。練習を重ねると、どんな状況でもスムーズに動けるようになり、本番も安心して臨むことができます。恐れるよりもまず、「**練習量にこだわりましょう**」。これが未来の自分たちを強くします。そう信じて取り組んでください。

複数あった要点を「練習量にこだわりましょう」に絞り、コアメッセージとして明確に提案することで、話全体が理解しやすくなりました。

このとき、「多くの人との交流」や「他の人のパフォーマンスから学ぶ」というメッセージはなくなりますが、それが「あなたがもっとも伝えたいこと」を吟味した結果であれば、問題ありません。なにも伝わらないよりはよっぽどいいはずです。

ぜひ、勇気を持ってコアメッセージを絞ってください。

「3つあります」話法がはらむ重大リスク

コアメッセージを絞りきれないときは、話の「目的」が明確になっていない場合が多いです。

その話によって「もっとも実現したいことはなんなのか」に立ち戻ってみると、コアメッセージもおのずと定まってくるはずです。

補足すると、これがいちばん大切だ、というコアメッセージを決めながらも、サブメッセージとしてコアメッセージの候補だった言葉を並べることはよくあります。

Good

いよいよ来月は試合です。試合を乗り越えるためにたったひとつ言いたいことがあります。「練習量にこだわりましょう」。練習を重ねると、こんなに練習できた、という自信にもつながり、本番も安心して臨むことができます。恐れるよりもまず、「練習量にこだわりましょう」。この大会が、**自分の成長だけでなく、多くの人との交流の場になり、**

周囲の人から学ぶ貴重な機会になることを心から祈っています。今日も練習お疲れ様です！

こちらは「多くの人と交流してほしい」や「他の人から学んでほしい」という言葉も入っているものの、あくまでメインは「練習量にこだわりましょう」となっています。

大切なのは、複数個入っていたとしても、**もっとも重要なメッセージが定まっていて、話に強調部分が明確にあり、緩急がついている**ことです。

また、どうしてもひとつだけを強調できないときや、絞ると言いたいことが伝わらないという場合には例外として、「伝えたいことが3つあります」などのナンバリング形式で語る手法もあります。

ナンバリング形式は一般的にはわかりやすいものと認識されています。

しかし、その3つをすべて語るまでに長い時間を要していると、最初に聞いた言葉の記憶が曖昧になり、完璧に覚えてもらえないリスクも付随します。

そういった点では、**「おもに3つです。ひとつめは…」という話し方は、それぞれの項**

目を完璧に覚えてもらえるものだ、とは思わないほうがいいでしょう。

人の記憶に残すことを意識するならば、やはりひとつに絞ることがベストです。

「類語」「マイナスワード」「繰り返し」でコアメッセージを磨く

ここからはコアメッセージの作成により慣れてきた人に触れてほしい応用編です。

それは、コアメッセージが決まったら「その表現でいいのか」を吟味するというプロセスです。これは必須のものではなく、表現をより彩り豊かにするためのアドオンのポイントだとご理解ください。

このプロセスには、シンプルな3つの手法があります。


【コアメッセージを磨くための手法】
①類語に置き換える
②マイナスワードを組み合わせる
③言葉を重ねる

①類語に置き換える

もっとも簡単なのは、近い意味を持つ別の言葉、いわゆる「類語」を探ることです。言いたいことを他の表現で言い換えられないか、自分の中の言葉のストックから探してみましょう。

このとき、名詞が動詞になったり、動詞が形容詞や副詞などに変わったりしてもかまいません。カタカナ語に変えてみるのも一案です。

あまりハードルを上げず、思いついたものをどんどん挙げていきましょう。私は類語辞典を活用することもあります。

元：継続は力なり
継続→持続、続行、続ける、保つ、いつまでも、コンティニュー……
力→能力、威力、勢力、勢い、パワー、エネルギー…
新：持続力

「継続は力なり」という言葉は一般的にもとても有名な言葉ですが、類語を展開する中で、

「持続力」という言葉を生み出しました。

例えばこんな語り方ができます。

Good

今の時代、例えば、「突破力を磨け」や「判断力を磨け」などいろんな力が必要であると言われていますが、私は自分の経験から、これだけは挑戦する人において譲れない、と思っている力があります。それは「**持続力**」なんです。

このあとに続く内容は、「継続は力なり」と同じものかもしれません。しかし、コアメッセージのオリジナリティの高さによって、聞き手をより惹きつけるものにできるでしょう。前段に「××力」という言葉を並べて、よりメッセージを際立たせることもできます。

「憧れるのをやめましょう」が日本中でバズった理由

②マイナスワードを組み合わせる

「憧れるのをやめましょう」という大谷選手の言葉に魅力がある理由は、一般的に心躍る良い意味で用いられることの多い「憧れ」というワードに「やめる」という一見マイナスな印象の言葉が組み合わさることで、ギャップが生まれているからです。

聞き手は最初に聞いただけでは言葉の意味を解釈できず、そのあとに意図や解説を聞くことで、ポジティブな意味であることを理解できます。この**驚きや意外性によって、メッセージが記憶に定着しやすくなる**のです。

なにかを訴えたいとき、基本的にはプラスの言葉を並べたくなりますが、マイナスワードとうまく組み合わせることで、より強いプラスの意味を持たせることができます。ぜひ活用してみてください。

活用しやすいマイナスワード：やめる、捨てる、破る、疑う、逃げる
例：「自我を捨てましょう」（新しい自分に出会うために、これまでの自分の常識を打ち破るという意味）
例：「常識を疑いましょう」（あたりまえのことではなく、より良いものを追求し続けるという意味）
例：「憧れるのをやめましょう」（遠い存在ではなく、自分のライバルとして向き合い対

等に戦うという意味）

③言葉を重ねる

例えば「信頼されるようにしましょう」とコアメッセージを言ったとき、よく聞く話だ、と思われてしまうかもしれません。

このように一般的で平易な言葉を使っている場合、インパクトが薄れてしまったり、聞き手の興味を大きく惹けなかったりする可能性は捨てきれません。

かと言って別の言葉にすると自分の考えていることとニュアンスが変わってしまう……という場合は、いま使っている言葉を繰り返すのも手です。

元：信頼されるようにしましょう
新：信頼に信頼を重ねましょう

ありふれた言葉であっても、本当にそれが重要なのだ、と聞き手に理解してもらえます。

いろいろなアイデアからコアメッセージを選定するうえでの決め手となるのは、言葉の響きとして心地よいか、といった感覚的な部分もありますし、他の人と被らない個性的な組み合わせができているか、といったインパクトを重要視することもあります。

最初に浮かんだコアメッセージがベストかというと、必ずしもそうではありません。コアメッセージが本当にその言葉で正しいのかどうかを考え見つめることで、より良い表現に出合うことができます。

コアメッセージは、あるのとないのとで話のまとまりが大きく変わります。

磨き尽くせるに越したことはありませんが、まずは**コアメッセージを入れるということを徹底できると、「つまりなにが言いたいの?」と言われることはなくなる**でしょう。

話す目的を整理し、伝えたいことをわかりやすい言葉で明確に提示できれば、目的の達成に大きく近づきます。

第2章

構成

言いたいことを印象づける話の「順番」と「比率」

「結論ファースト」は絶対ではない

「コアメッセージ」が固まったら、それをもっとも際立たせられるように話さなければなりません。

そこで考えるべきは、「どんな順番で」「なにを」「どのくらい」話すか――いわゆる、話の「構成」です。

巷では構成の〝黄金の型〟と称するものが紹介されています。

なかでも多いのが「結論ファースト」や「PREP（プレップ）」といった、「まず結論から話すべき」というものです。

「結論ファースト」は、文字通り話の結論を冒頭に述べてから話す手法で、ビジネスシーンではこの構成がベストであるとされることが多いです。

「PREP」はその結論ファーストをさらに細かく分解した構成手法です。それぞれ

Point（結論）、Reason（理由）、Example（事例）、Point（結論）の頭文字を取ったもので、論理的な構造になると言われています。

これらの型にあてはめるとたしかにわかりやすいものになりますし、私自身もこの手法でスピーチやフィードバックをすることもあります。

ただ、**すべてにおいて「結論ファースト」や「PREP」が正義とするような風潮には、疑問符をつけざるを得ません。**

結論を先に伝えてしまうことで、冷たく聞こえる場合も、先が見えてあとの話をきちんと聞いてもらえない場合もなきにしもあらず。

聞き手の意に沿わない結論だった場合、感情がヒートアップしてそのあとの話が耳に入らなくなってしまうかもしれません。順を追って説明することで建設的な話ができる場合もあるでしょう。

どんな場面であっても、話すという行為は人と人とのコミュニケーションです。必ずしも結論ファーストが絶対だとは言えないのです。

私は、この話の場合は必ずこの構成で話す、というような、「ひとつの型に決めつけること」を良しとしていません。

時と場合によって理想的な構成は変わり、一概に正解となる構成があるわけではないというのが基本的な考えです。

構成とは、目的と聞き手に合わせて最適なものをつくっていかなければならないものなのです。

絶対にこの型で話すべき、という思い込みは、「伝わる」機会を損失します。

対象者と目的に合わせて柔軟に構成を変えて話すことができる。

これが目指すべきゴールです。

たった一文の順番で印象は大きく変わる

構成を組むうえで第一に意識すべきは、「順番」です。

「なにを単純なことを……」と思うかもしれませんが、文章の順番の違いによって、話の印象は大きく変わります。

次のふたつの結婚式スピーチを見比べてみてください。

新婦の春菜さんとは中学のときに生徒会活動で出会い、苦楽をともにしてきました。バイタリティがあり、笑顔を絶やさず、人気者の春菜さんのことをいつも羨ましく思っていました。私にとって春菜さんはライバルであり、人生最高の相方です。

いつも羨ましく思っていました。バイタリティがあり、笑顔を絶やさず、人気者の春菜さんのことを。私と春菜さんは中学のときに生徒会活動で出会い、苦楽をともにしてきました。春菜さんは私のライバルであり、人生最高の相方です。

前者は生い立ちから話し、丁寧に魅力を語っています。後者は唐突に本音を吐露することで距離の近さが感じられます。

同じ文章の組み合わせでも、「順番」の違いひとつで与える印象は大きく変わるのです。

狙いに沿って話を組み立てる

さらに多くの文章の順番について考えてみましょう。

毎月のチームミーティング。目的は「チームを鼓舞すること」、コアメッセージは「力を合わせれば成果は手に入る」です。

オーソドックスに構成するなら、このような順番になるでしょう。


【A】先月は昨年対比で110%の売り上げを達成することができました。

【B】今年は実績のあるメンバーの異動もあり、苦しい売り上げ状況が続いていました。

【C】ですが、客先からのフィードバックをみんなで共有し、アイデアを出し合うことで、お客様に刺さる提案ができるようになりました。

【D】この経験から私は、「力を合わせれば成果は手に入る」と、改めて実感することができました。

【E】今月も目標を達成すべく、力を合わせて業務に励んでいきましょう。

段階を追ってわかりやすく伝えられます。

ではこの順番を少し変えてみましょう。


【D】今年、とくに実感したことがあります。それは、「力を合わせれば成果は手に入る」ということです。

【B】今年は実績のあるメンバーの異動もあり、苦しい売り上げ状況が続いていました。

【C】ですが、客先からのフィードバックをみんなで共有し、アイデアを出し合うことで、お客様に刺さる提案ができるようになりました。

【A】これにより、先月の売り上げは、昨年対比で110％を達成することができています。

【E】今月も目標を達成すべく、力を合わせて業務に励んでいきましょう。


コアメッセージを含む【D】の文章を冒頭に持ってくることで、まさしくメッセージ性の強い話になります。また、【B】や【C】の具体的なエピソードを先に話すことで、その結果である【A】の売り上げの数字も際立ちます。

さらにはこんな構成もあります。


【B】今年は実績のあるメンバーの異動もあり、苦しい売り上げ状況が続いていました。

【A】しかし、先月は昨年対比で110％の売り上げを達成することができました。

【C】この要因は、客先からのフィードバックをみんなで共有し、アイデアを出し合うことで、お客様に刺さる提案ができるようになったことにあります。

【D】つまり「力を合わせれば成果は手に入る」んです。

【E】今月も目標を達成すべく、力を合わせて業務に励んでいきましょう。


マイナスの話をする【B】の文章から入ることで、それでも力を合わせて売り上げを達成できた、というストーリー性が際立つ構成です。


情報を提示する順番を工夫すると、このように印象が変わります。

シンプルにわかりやすく伝えたいのか、先の読めない話で注目を集めたいのか、感動的にしたいのか、**いろいろな狙いをもとに構成を練っていくことが重要**なのです。

なにを話すか、どのくらい話すか

順番に続いて検討すべきは話の「比率」です。

ここからは、話全体を構成する要素をトピックと呼びます。

話し言葉における「比率」とは、トピックの一つひとつに対して「どれに、どのくらいの時間を割いて話すか」ということにあたります。

話をする順番に心を砕いても、トピックの比率を間違えてしまうと、かえってコアメッセージが伝わりにくくなってしまいます。

どういうことか、例を挙げましょう。

例えば、会社のメンバーの業績に対するフィードバックをする場面。

【A】＝良い点、【B】＝改善点、【C】＝総まとめ、のそれぞれのトピックをどのような比率で話すかを考えます。

目的は「優秀なチームメイトを讃えてさらに前向きに成長してもらう」。コアメッセージは「あなたはもっと高みを目指せる」です。

このように前向きなメッセージを伝えたい場合は、例えば、「【A】6：【B】3：【C】1」の比率が考えられます。

【A】私はあなたの半年間の業務を評価しています。プロジェクト遂行においてリーダーシップを発揮し、チームメンバーの裁量が高い状態でチームの売り上げをつくってくれました。チームメンバーからも「チャレンジしやすい」という声が上がってきています。チーム全体のモチベーションが上がり、業務スピードがはやくなったのはあなたの努力のおかげです。

【B】一方で、スピード感を重視するあまりコミュニケーションが疎かになっている印象です。今後は業務の質を高めるためにも、意識的にメンバーと話してみてください。

【C】あなたはもっと高みを目指せます。一緒に頑張りましょう。

達成した実績を評価し、さらに上を目指して頑張ろう、という前向きな印象が伝わってきます。

一方、同じ目的とコアメッセージでありながら、トピックの比率が「【A】3:【B】6:【C】1」になるとどうでしょうか。

【A】私はあなたの半年間の業務を評価しています。プロジェクト遂行においてリーダーシップを発揮し、業務スピードを高めてチームの売り上げをつくってくれました。

【B】ただ、スピード感を重視するあまりコミュニケーションが疎かになっている印象です。一部のメンバーから疲れに関する不満が出てきたり、体調を理由に休んだりする人も増えました。仕事は、いつでも相談ができる健全な環境があってこそ成り立ちます。チームのまとまりを強め、業務の質を高めるためにも、意識的にメンバーと話してみてください。

【C】あなたはもっと高みを目指せます。一緒に頑張りましょう。

「業務を評価している」「コミュニケーションを大切にしてほしい」「あなたはもっと高みを目指せる」と、ひとつめと同じトピックを同じ順番で言っています。しかし、【B】の改善点をより詳細に深掘りした状態でトピックが展開されており、冷静にシビアに語っている印象が目立ちます。

目的とコアメッセージが明確にあったとしても、**話全体のなかのトピックの比率によって、印象は大きく変わる**のです。

「目的」に関連することを厚く話す

比率を考えるうえでのシンプルなルールは、「目的」と関連性の高いトピックの比率を多くする、です。

これは考えてみればあたりまえのこと。ですが、よく意識しておかなければ、目的とは異なる方向性の話をしてしまったり、関係のないトピックに時間を費やしてしまったりといったことが、じつは起こりがちです。

先の例では、目的が「優秀なチームメイトを讃えてさらに前向きに成長してもらう」だったのですから、「良い点」を多く語るべきなのは間違いありません。

しかし、きちんと比率を整理して考えないと、「改善点」に関連するトピックばかりが口をついて出てきてしまいます。

こうなると、フィードバックを受けたメンバーは、「前向きに背中を押してもらった」というよりも、「人間関係に気をつけるよう注意を受けた」という感覚を強く覚えるでしょう。

今回の話す目的が、「課題を真摯に受け止めて頑張ってもらう」だとすれば間違いではなかったのですが、「さらに前向きに成長してもらう」だったわけですから、その目的は果たせなくなってしまいます。

話し手の心のなかでは前向きに背中を押す意図があったとしても、**聞き手は発せられた言葉で判断するしかありません。**

ですから、やはりなにをおいても「話す目的」なのです。

人は往々にして、ふだん思っていることや、自分のなかの感情に引っ張られて話をしてしまいがちです。

とくに「話を思いついた順に膨らませてしまう人」にこの傾向は強くあります。

ひとつのトピックをどのくらい話すべきなのか、そのトピックが目的の達成に貢献するのかを精査しなければならないのです。

「熱い思い」という落とし穴

目的達成に必要性の低い話を多く話してしまうというだけでなく、必要なことが抜け落ちてしまっているというケースもあります。

私が過去に担当した業務で、こんなことがありました。


クライアントは、とある大企業の社長。その企業は複数分野にまたがり、A、B、Cと多種多様な事業を展開していました。

その会社総会でのスピーチ原稿をチェックすると、たったひとつ、Aの事業の話だけで埋め尽くされていたのです。

比率にして、「挨拶1：A事業8：総まとめ1」といったところ。

聞けば、社長をはじめとする役員陣はA事業にまさに社運をかけているとのこと。その熱意がスピーチ原稿の比率に影響していることがわかりました。

たしかに傍から見ても、A事業の業績が伸びていけば会社全体として飛躍的に成長していくことは想像に難くない。

ですが、重要なのはスピーチの場が「事業部会」ではなく「会社総会」だということです。BやCの事業に携わる社員たちは、「A事業8」のスピーチを聞いてどう感じるか……。

そもそも、この社長は「従業員全体を鼓舞すること」を目的に置き、目的を達成するためにコアメッセージを「改めて、団結していこう」と定めていました。

しかし、団結したいのに、A事業のことだけを話してしまうと、他事業のメンバーをまとめることができなくなり、やはり印象は悪くなってしまいます。

私は社長に、スピーチ全体の情報比率の変更を進言しました。

いくらA事業への思いが強いからと言って、今の比率のままでは「目的」が達成し得ないこと。きちんとBやCの事業の重要性にも触れることで、全社一丸となって業務に取り組む意識が高まることを伝えました。

目的の達成を考えると、「挨拶1：A事業5：B事業2：C事業1：総まとめ1」の比率にして、「改めて、団結していこう」というメッセージを全社的に伝えていかなければなりません。

情報比率とは、聞き手への「配慮」そのものでもあるのです。

これまで私は多くのスピーチやプレゼン、話す場面に触れ、携わってきましたが、きちんと意識をしなければ、このようなことは本当に頻繁に起こります。

なにか自分自身が情熱を傾けていることがある人ほど、その思いが強ければ強いほど、どうすればその思いが聞き手に伝わるかを、クレバーに考え抜かなければならないのです。

「一貫性のある話」ができているか

「順番」と「比率」を適切に構成できた最後には、一貫性を再確認しましょう。

「一貫性がある」とは、話全体にロジックがある状態のこと。

言いたいことの筋が通っており、AだからB、BだからCといった具合で、初めて話を聞く人も、特別な前提なしに、新鮮な情報を順序立てて理解できる状態がベストです。

一貫性のない話は、AだからCといった飛躍をする場合があります。

Aの話をしていたのに、途中からDの話に逸れて、Aに関係ない話が続いたまま、話が着地してしまう場合もあります。


論理の飛躍、主張のすり替えは、話し手の信頼を落とします。


ここまでお伝えしてきた「順番」や「比率」など、ミクロ視点で一つひとつの文章を精査していると、全体像が見えにくくなることがあります。

そんなときはマクロの視点で見て、自分の伝えたいことを補強する材料が揃っているか、途中で話が脱線していないか、言いたいことやイメージがブレていないか、確認するようにしましょう。

構成の呪縛から逃れる「ハサミメソッド」

大きなプレゼンやスピーチなど、しっかりと準備をして臨むべきケースや、話す本番まで時間的余裕がある場合におすすめしたい手法が「**ハサミメソッド**」です。

まず、書き上げた原稿を紙に出力します。

そして、その紙を段落ごとにハサミでカットします。

それぞれカットした紙を入れ替えながら、より良い構成を探していくのです。

このとき、ボリュームが足りない段落があったり、新しい切り口の段落を思いついたりした場合は、白紙にその内容をメモして挿入します。

段落が丸ごといらないと感じたら、その紙は端によけてしまいましょう。

「聞き手はどのタイミングでどんな気分になるのか」「どこで話に飽きてしまう可能性があるのか」などを考えながら、さまざまなパターンの構成を試してみると、最適な構成に近づいていけるはずです。

ハサミメソッド

書き上げた原稿を出力し、段落ごとにハサミでカットする。カットした紙を入れ替えながら、構成を練っていく。物理的に動かし放題になるので、さまざまなパターンを検討しやすい

段落の順番を入れ替える、という点だけを見れば、パソコン上でカットアンドペーストを繰り返す方法もあります。

ですが、紙で行うことのメリットは、物理的な空間で動かし放題になること。最後に置いていた段落を冒頭に移すなどの大胆な修正も試しやすく、自分の中にある固定観念から離れる感覚を身につけやすいのです。

また、それぞれの紙のサイズから、どの話にどのくらいの比率を割いているかが視覚的にわかりやすくもなります。

構成作業においては**「〝伝わっているだろう〟という思い込み」から抜け出すことが大切**です。段落ごとにカットした原稿を動かしながら、より良い構成を追求しましょう。

もう二度と、ご紹介にあずからない

ここまで、構成の組み立て方について解説してきました。

「どんな順番で、なにを、どのくらい話せばいいのか」ということについて理解を深めてもらえたと思います。

本章の最後に、「構成」パートの一環として、話全体をくるむ「冒頭」と「締め」の考え方、具体例について解説します。

スピーチやプレゼンなど、場を与えられて「よーい、スタート」で話し始めるような場面ではとくに、話の出だしをどう工夫するかは重要なポイントです。

冒頭の部分の質を上げることができれば、聞き手の集中力を維持することができますし、良い第一印象を形成することもできます。逆をお伝えすると、**ありきたりで工夫のない冒頭は聞き手の離脱をもたらします。**

私はいつも、日本社会の「話し始め」への配慮の行き届かなさに呆れています。

なかでも印象に残っているのが、DeNAでの人事職時代。複数の企業が集まる合同説明会の場で、たくさんの学生を前にプレゼンテーションをする機会がありました。

それぞれの企業が順番に、学生100名近くに向けてプレゼンをします。持ち時間は1社7分。そのたびに、繰り広げられるのはこのような冒頭でした。

Bad

え〜。ただいまご紹介にあずかりました、株式会社××の山崎と申します。本日は、株式会社××の会社説明をさせていただきます。


すでに司会が紹介した所属や名前を、形式的に繰り返すだけ。そして、それが10社近くも続きます。どの会社も同じ、なんとなく形式にあてはめてとりあえず話せばいい、という風潮がはびこっていて、おもしろみも個性もないのです。

この冒頭を聞き続けると「きっとこの会社もさっきの会社と似たような説明なんだろうな」と予測がつき、聞き手の心は一瞬で離れます。

そこで、私はひとり違う冒頭にしていました。

Good

私たちは『エンタメ』と『社会貢献』を掛け合わせた挑戦をしています。まったく異なる2つの領域をどうやって掛け合わせているのか、こちらをご覧ください。

司会の紹介を受けた直後、名前を名乗らず、キーワードを並べて語り始めます。「その意味を知りたい」と聞き手に先の話に集中してもらえる冒頭です。ひとしきり会社概要を伝えたところで、「申し遅れましたが、私、DeNA人事担当の千葉です」と、ようやく自己紹介を挟む形式でした。

このプレゼンの冒頭はとにかく目立ちました。そして、語り出した瞬間、その場の空気が変わり、多くの学生がすぐに視線を上げてくれました。結果として、合同説明会全体の中でもっとも印象に残ったプレゼンに選ばれることも多くありました。

冒頭の無配慮は、私が遭遇した経験だけに言える話ではないはずです。イベント、大きなプレゼン、スピーチなど、さまざまな場面に共通しているのではないでしょうか。

さまざまなコンテンツがあふれ、時間の取り合いをする現代。**たった数秒の「話し始めって普通こうだよね」という思考停止によって、せっかくの話す機会がとても残念でもった**

いない結果に終わってしまいます。

聞き手にとって興味を持ちづらい、惰性で時間が流れてしまうことの多い冒頭部分を生かしきり、目的に貢献するようなものにできれば、伝わり方はより一層精度を増していきます。

挑戦した人だけに見える景色がある

このような話をすると、いくつかの違和感を示す人もいます。

そのひとつは「では、よくある冒頭はダメなのか」というもの。

そんなことはありません。状況によって、むしろシンプルかつ、慣れた言い回しを使ったほうが効果的な場面はあります。

私がここで言いたいのは、**無意識に前例にならってなんとなく冒頭を構築するのではなく、意識的に目的達成のための冒頭を自己選択してほしい**、ということです。

また、「自分は営業職なので、そんなにかしこまって話す機会はないんですよね……」という人もいます。ふだんのビジネス会話で冒頭を工夫するのは不自然ではないか、という意見です。

もちろん、すべての場面で特別な仕掛けを施す必要はありません、

私は現在、カエカの代表取締役の立場で話す機会が多いです。スピーチ、プレゼン、インタビュー、ラジオ、テレビ、商談、チームメンバーとの打ち合わせなど、状況は非常に多岐にわたります。

商談やラジオ、テレビ、メンバーとの打ち合わせなどは、相手との双方向のコミュニケーションが多いこと、わかりやすく話すことが重要なので、基本的にはなにか特別な冒頭の工夫などは行いません。相手に適切に質問や意見を伝えることのほうが必要だからです。事業についてのプレゼンテーションなども同様です。

一方で、惹きつける目的を持つものに関しては、必ずと言っていいほど冒頭を工夫します。例えば、スピーチをする、ミッションなどを語るプレゼンをする、動画でメッセージを出す。人の気持ちを惹きつけたいと思ったときに、私は定型文から入ることをやめます。

あなたが話す場面で、わかりやすさが求められているのか、それとも、人を惹きつける

話が求められているのかで、加減を考えていくことが重要です。

そして最後に。

「冒頭を工夫することが恥ずかしい」という声もよく耳にします。他の人がやっていないから怖い、浮いてしまいそう……といったところ。

思いきったことを言うと、そこで恥ずかしさを恐れたり、目立つことを怖がったりしているならば、「目的を達成するために、話し方を磨く」ということ自体を本質的には求めていないと考えられます。

冒頭から言葉に心を宿すことを体験した人にしか、聴衆の顔が上がり、話を聞きたいという目で見られる感覚はわかりません。

挑戦した人だけが感じられる景色を見たいか、見たくないかで、この冒頭の工夫を行うかを検討してみてください。

小泉進次郎が実践する「飽きさせない」技術

では、ここから、聞き手を惹きつけるためにおすすめの「冒頭の工夫」をいくつかご紹介しましょう。

まずは、「**問いかけ・呼びかけ**」です。

これは冒頭の工夫としてもっとも有名な方法であると言っても過言ではありません。一方的に話さずに、双方向でコミュニケーションが取れるという点で、優れた冒頭となります。

問いかけと呼びかけには違いがあります。

問いかけは、「みなさんは××したことはありますか?」と聞き手の心に問いを立てる方法です。

例えば、カエカのサービスの営業資料ではこのような冒頭があります。

Good

6.1 時間。この数字はなんだと思いますか？

営業先からは、「うーん、難しいですね」と言われたり「1週間で話している時間の合計ですかね……」などと言われたりします。

その後、「じつはこちらですが、日本人の平日の平均の話量なんです」と答えると、「ええ、そんなに多いんですね」と反応が返ってきます。

問いかけには、このように、やり取りを通じて双方が同じ内容に入り込んだ状態で話を進められるというメリットがあります。

この冒頭は聞き手とコミュニケーションを取るうえで非常に便利ではありますが、注意すべき点もあります。

起こりがちなのが、「問いかけのあと、すぐに話し始める」という現象。

「みなさんは自分の話し方に悩んだことがありますか？　私はもともと…」などと、「？」のあとにすぐに話し始めてしまうと、聞き手が問いを反芻する時間がなくなり、「ああ、工夫しようとして問いを入れただけだな」と見透かされ、むしろ飽きられてしまいます。

有効活用するには、問いを立てて話す目的に立ち戻り、**問いに対して聞き手が考える時間を確保する**ようにしましょう。

呼びかけは「みなさんは××したことはありますか？　××したことのある方は手を挙げてください」といったように、その場で聞き手にアクションを促す方法です。

呼びかけを行うと、聞き手は手を挙げたり、拍手をしたり、なにかしら行動が求められるため、話に飽きずについてきてくれる効果があります。

この方法を活用できているのが小泉進次郎さんです。

例えば、ある演説会場で制服を着ている人たちが目立っていると「この中に高校3年生はいるの？（挙手するジェスチャーをしながら）今回、初めて有権者ですよ」と、高校生が手を挙げたり、うなずいたりすることができる語りかけをしています。

彼は、その場の人たちとコミュニケーションを取ることで「来てよかった」「話が聞けて前向きな気持ちになれた」と感じてもらいたいという思いを持っているのでしょう。

問いかけや呼びかけは、とくに、自分の話に興味を持ってもらえていないのではないか、と不安に思うことが多い人にもおすすめの方法です。

「物語る」冒頭で一気に引き込む

続いては、**「経験の描写」**です。

人を惹きつける話が必要なときは、ストーリーから語り始めることも多くあります（具体的なストーリーの語り方については、第3章で詳述します）。

そんなときに、有効活用できるのがこの経験の描写です。経験の描写は、小説の中に入り込んだような、聞き手がその話の中に実際に自分もいたような感覚にさせ、話にのめり込ませることができます。

アマゾン創業者のジェフ・ベゾスは、プリンストン大学の卒業式のスピーチで、第一声からこのように語り出しました。

> **子どものころは毎年夏になると、テキサスにある祖父母の農場で過ごしました。**風車を修理したり、家畜に予防注射をしたり、そのほかの雑用を手伝ったりしていました。

午後は毎日昼メロを見ていました。……

自分の名前を名乗ることも、類型的なお祝いの言葉を述べることもなく、**いきなりストーリーを語り始めると、どんな話が始まるのだろうと聞き手は引き込まれます。**注目を一気に集めるには非常に効果的な方法です。

大学の卒業式という場でここからどのような話が展開するのか、「惹きつけられた」人はぜひ調べてみてください。

この手法は、私が個人でスピーチを書くときにもよく使っています。

過去の弁論大会では、このような冒頭で話し始めました。

師走の風に冷やされた手を丁寧に申請書に添え、紙の重みを感じながら窓口に差し出しました。２０１９年、役所に申請書を提出したその日から、私は株式会社の代表取締役となりました。……

季節感を描きながら自分の行動を描写することで、当時の雰囲気を感じられるのではないかと思います。

聞き手を〝タイムスリップ〟させる語り出し

3つめは、「時制」です。具体的には、特定の年、日付、時間などを正確に伝えてから語り始めるという方法です。

お堅い場面でもインパクトがあり、重宝する手法です。過去のファクトやストーリーを語り出しやすいところもメリットのひとつです。

例えば、1984年に若き日のスティーブ・ジョブズが学生に向けてMacintoshのプレゼンテーションを行った際、こんなふうに語り始めました。

1958年、IBMはゼログラフィという新技術を開発した新しい会社の買収を見送りました。2年後にゼロックスが誕生し、IBMは後悔することになります。……

巨大なライバルだったＩＢＭを皮肉りつつ、Macintosh開発に至った経緯について振り返る、巧みな時制の使い方がなされていました。

時間は私達が共通認識を持っている指標です。**聞き手は時制を耳にすると、頭の中で自分自身をその時間にタイムスリップさせて、話を聞く用意ができます。**

このように、どう話し始めるかによって、実現できることや効果が変わります。無意識に話し始めるのではなく、状況に合わせてどのような工夫を凝らすことが重要かを考えていきましょう。

さまざまなスピーチ・プレゼンを分析し、冒頭の入り方を「17の型」に分類しました。左ページの表にまとめましたので、話の目的に合わせてふさわしいものを選んでみてください。

冒頭の言葉「17の型」

一般的・シンプル導入型

①挨拶　「おはようございます」「こんにちは」
集まっている人に対する前向きな姿勢を示すことができる。間を取ると挨拶が返ってくる

②内容の明示　「今日は××について話します」
もっともシンプルな表現方法のひとつ。××に珍しい言葉が入るととくに注意を引きやすい

③率直な感想　「今日は話す機会をいただき、とても嬉しく思っています」
場の緊張感が和らぎ、あたたかな雰囲気になる。聞き手との距離も近づく

④目的の明示　「今日は皆さんの××に対する考え方を変えにきました」
話し終えたあとの聞き手の状態を予言することで、話し手の覚悟を示すことができる

⑤感謝の言葉　「今この瞬間も、××は××してくれています。いつもありがとうございます」
聞き手が仲間の場合にとくに有効。感謝の具体性を高めることで思いのこもった言葉となる

双方向コミュニケーション型

⑥問いかけ　「××について考えたことはありますか？」
聞き手に思考を促し、話題を自分事としてとらえてもらう効力がある

⑦呼びかけ　「××を知っている人は手を挙げてください」
聞き手側の「挙手」という具体的な行動が伴うため、参加意識が高まりやすい。聞き手を参加させる以上、挙手しやすい質問が必須

惹きつけ：ストーリー／ファクト使用型

⑧比喩　「その光景は、まるで××のようでした」
聞き手の想像力を刺激する。あえて違和感をつくることで、聞き手の意識を惹きつける

⑨経験の描写　「ある6月の朝のこと、眠い目をこすりながら家の中を歩いていると……」
聞き手に話し手の体験を追体験させられる

⑩時制　「2019年12月、私はその日に××をしました」
場面を選ばずさまざまな状況で使いやすい手法。有名な出来事を想起させることも可能

⑪好き嫌い　「私は××が好きです」「私は××が嫌いです」
自分の性格や人柄を伝えたい場面で有効。「嫌い」を使うときは聞き手への配慮を忘れずに

⑫会話　「『××』、私は以前、××さんからこう言われました」
臨場感のある表現手法。話に第三者が現れることで、説得力アップ

⑬数字　「6秒に1回。これは××です」
インパクトのある数字を語れる場合に有効。声のスピードを意識し数字を強調すると効果大

⑭作品の一節・偉人の名言引用　「『××』。ある小説の冒頭部分です」
知的な印象を与えられる。その後の文章との接続に気を遣う必要あり

⑮笑い　「今日ここに登壇するまでの間、なんど家に帰ろうと思ったかわかりません」
TEDトークなどでよく使用される手法。聞き手が話し手に好意的な場合に効果大

⑯カミングアウト・本音　「実はもともと××ではありませんでした。私は××です」
自分に対する周囲のイメージを逆手にとる手法。自己開示を含めると話し手への興味が高まる

⑰ワンワード　「『好奇心』。これが私の人生を体現する言葉です」
印象に残したいワードやフレーズが定まっているときに有効。言葉の選定が重要

「締め方」のポイントは〝良い余韻づくり〟にあり

「冒頭」の対となり、まさに話のラストにあたる「締め」は、その工夫次第で話全体の印象を大きく変えるものです。

締めの工夫を行う最大の目的は、話に良い余韻を生み、満足感を高めることです。

コアメッセージをしっかりと入れられたとしても、ぶっきらぼうに話を終えてしまえば、コアメッセージの良さを反芻する時間がないまま話が途切れ、聞き手の気づきや感動が途切れてしまいます。

Bad

私が言いたいことは、「話し方は努力で変えられる」ということです。以上です。

そこに締めの工夫が続いたとしましょう。

Good

私が言いたいことは、「話し方は努力で変えられる」ということです。**私は仕事を通して、**

多くの方の話し方の変化を見てきました。正しい学習方法に出合えれば、誰でも上達することができます。話し方の上達は、物事に果敢に挑戦する姿勢にもつながります。「話し方は努力で変えられる」。ぜひ、この言葉をお持ち帰りください。そして、私は皆さんが話し方を学びたいと思った時に学べる環境を提供できるよう、引き続き尽力します。ありがとうございました。

いわばメッセージを伝えるうえでの〝フィナーレ〟をつくることが、最終的な満足度に大きく影響するのです。

良い余韻を生むことができれば、感動的な雰囲気をつくることができますし、場を盛り上げることにもつながります。自分が話し終えたあとに場をどんな状況にしたいか、考えてみるといいでしょう。

私のクライアントにも「話がぶつ切れで終わってしまう」と悩む人は多いです。

「冒頭」と同様、さまざまなスピーチやプレゼンを分析して「6つの型」に分類しました。①行動・価値観提案、②引用、③未来提示、④話のまとめ、⑤努力宣言、⑥問いかけです。

締めの言葉「6の型」

①行動・価値観提案

「××しましょう」「ぜひ××してください」

次のアクションが明瞭な締め方。聞き手を「仲間」として捉える前向きな姿勢を強調することができる。一方で、「××するべき」「××しなければならない」のような「押しつけた表現」とならないように注意が必要

②引用

「××は『××』と言いました。『××』、心に刻みましょう」

他者の言葉を引用することで、自分の主張を補強することができる。引用する言葉は、ことわざや偉人の名言など、聞き手にも親しみのあるものが好まれる。引用する言葉を記憶してもらうことで、自身の主張について振り返ってもらえる可能性も

③未来予測・提示

「もし××になれば、××になるでしょう」「きっと××になるはずです」

自分の主張の先にある「未来」を聞き手に想像させることができる。他の手法に比べて、情緒的で華やかな印象になりやすい。ビジネスの場面では、「××が導入されたら××になる」と語ることで、未来の体験への期待感を膨らませることができる

④話のまとめ

「改めて、今日私は××を伝えにきました」

数十分以上話した際に使うことで、聞き手の理解や記憶を助ける効果がある。コアメッセージをさらに強調することもできる。一方で、形式的にこの手法を使うとあっさりとした印象になることがあるため、インパクトを残す工夫とともに使用することを推奨

⑤努力宣言

「私は××を実現するために尽力します」

話した内容に対して真面目に向き合っていることを伝えることができる。自らの決意を表明することは、謙虚さやひたむきさの強調にもつながる。聞き手が話し手を応援したくなる手法

⑥問いかけ

「最後に問いかけます。××ついて、あなたはどう思いますか？」

巧妙な手法。問いかけで終え、聞き手に考える余白を与える。断定的な表現ではないからこそ、全体を巻き込みながら「一緒に正解を考えよう」という意図を伝えられる。優しく丁寧に語っている印象にもつながる

そして、良い話の余韻を生むためには、この6つの型を組み合わせることが非常に効果的です。

私が全国弁論大会で実際に話したスピーチから引用しましょう。

起業のエピソードを語ったうえで、コアメッセージとして「挑戦を前向きに捉えてほしい」と伝えました。コアメッセージ直後の締めの工夫がこちらです。

……【未来予測・提示】大人が挑戦を前向きに捉えることで、前向きな優しい言葉が増え、それが、優しい社会をつくります。そんな社会があたりまえになれば、あなたが挑戦するときに【行動・価値観提案】も、周囲はあなたを応援し、迎え入れてくれるようになるのです。すべての人のために、挑戦をどうか前向きに捉えてください。【努力宣言】会社を創業したひとりとして、率直な葛藤を未来に向けた原動力に昇華していきたい。大志を抱けと、高らかに語ることができる社会の実現に向けて、私はあなたと手を取り合いながら、前に進んでいきたいのです。

コアメッセージのあと、理想が叶った先にある未来の様子を提示し、再度、行動・価値観提案で反復することでさらに言葉を強調しました。そして、最後には自分自身の努力を宣言することで、熱意をより一層表現しました。

2018年、BTSのリーダーであるRMさんがニューヨークの国連本部でスピーチを行いました。

BTSはユニセフのグローバル・サポーターを務めており、子どもと青少年への暴力撲滅を目指す「LOVE MYSELF」キャンペーンを担っています。その活動を広める一環でのスピーチでRMさんは、自分の本当の気持ちを見つけるために「あなたのことを話してください」というコアメッセージを発信しました。

締めの部分では、「話のまとめ」がありながらも「問いかけ」が印象的です。聞き手は、改めて問いを考えさせられるいい機会をもらえます。

【話のまとめ】

……**僕はキム・ナムジュン。BTSのRMです。アイドルです。韓国の小さな町で生まれたアーティストです。他の人と同じように、人生でたくさんのミスをしてきました。たくさんの失敗も恐れもあるけれど、自分を力いっぱい抱きしめることで、少**

しずつ自分自身を愛せるようになりました。【問いかけ】あなたの名前は何ですか？【行動・価値観提案】自分自身のことを話してください。

話の内容を丁寧にまとめて振り返ることでメッセージの説得力を重ね、問いかけによって相手に考える時間を与え、そして、再びメッセージを反復するように行動・価値観提案を行い、話全体にまとまりをつくっています。

このように締めの工夫を行うと、話全体の雰囲気を前向きに、明るくすることができます。

重要なのは余韻です。さまざまな表現方法で、フィナーレを盛り上げるように話してください。この6つの型をいくつも組み合わせて使うと、熱意を表現しやすくなりますので、参考にしてみてください。

第3章

ストーリー

自分にしかない「物語」で共感を呼ぶ

オバマを大統領に押し上げた「ストーリー」の力

ここからは、コアメッセージに説得力を持たせるための「中身づくり」に入っていきます。

まず、解説するのは「ストーリー」。自分の経験を語ることです。

やる気や信念を表現することができるストーリーを語る技術は、学生や社会人など職業に関係なく、すべての人にとってチャンスをつかんでいくために重要です。

第44代アメリカ合衆国大統領のバラク・オバマは、「スピーチで人生を変えた」と言われている人です。

まだ彼が無名だった、2004年の民主党全国大会。

大統領になる5年前に行ったそのスピーチで彼は、自らの生い立ちを語りました。

私の父は、ケニアの小さな村で生まれ育った留学生でした。少年時代の父は、ヤギの

世話をし、トタン屋根の小屋の学校に通っていました。（中略）私の両親は、常識を超えた愛を共有しただけでなく、この国の可能性に対する揺るぎない信頼をも共有していました。**彼らは私に、アフリカの名前を付けました。バラクとは「祝福された者」という意味です。**彼らは、寛容な米国では、どのような名前でも成功の妨げになることはない、と信じていました。

アフリカ系の両親と祖父母を持つ自らのルーツ。「バラク」というファーストネームに込められた意味。アメリカという国の寛容さと寛大さによって自らの生はあるのだと紐づけ、それはアメリカの素晴らしさの象徴である、と話したのです。

オバマはこのスピーチで一躍、全米にその名を知られることとなりました。

このとき、たんに「アメリカは、たくさんの可能性を持っている場所だと思います」と述べたところで、それはアメリカの政治家なら誰もが言うことです。

その言葉にオバマ自身の人生が重なることで初めて、メッセージは聞き手の心を打つものに変わりました。

このような手法は「ストーリーテリング」と呼ばれます。

ストーリーテリングとは、その名の通り、自分の物語（経験）を語ること。

スタンフォード大学の研究によれば、**事実だけを羅列するよりも、ストーリーを含めて伝えたほうが22倍も人の記憶に残りやすい**と言われています。


オバマのスピーチはアメリカという巨大な国の行く末に関するものだったので、必然、彼の人生そのものを振り返るという壮大なストーリーになりました。

あなたがふだん話す場面ではもちろん、すべての生い立ちを語る必要はありません。

ただし、そのとき伝えたいコアメッセージにつながるよう、自らを〝開いていく〟ことは必要になります。

聞き手側は、あなたが発するコアメッセージに対して〝裏付け〟を欲するものです。

自らの過去の行動や経験を踏まえて語ることができれば、話に説得力が増します。

生身の自分自身だからこそ発することができる言葉とはどんなものか。

聞き手を惹きつけ、共感を生むための「ストーリー」の語り方を解説していきましょう。

ストーリーがない人なんていない

ストーリーの大切さをお伝えすると、さまざまな意見が返ってきます。多いのが、「私は平凡な人生を送っているから特段語れる経験がない」というもの。

決して、そんなことはありません。**すべての人に平等にストーリーは存在します。**

私たちは生まれてきた瞬間から今日に至るまで、さまざまな喜怒哀楽を感じてきたはずです。そこから学び、なにかを感じ取り、私たちは今の人格を手に入れています。

人生で良かったこと、苦しかったこと。どんなに小さなことでもかまわないので、すくい上げてみましょう。

もうひとつは「仕事上で自分のことを語るのは恥ずかしい」というものです。

これは、とてももったいない考え方です。

これからどんどんＡＩ技術などが発達し、いま以上に情報過多になっていく時代においては、〝自分らしさ〟を語らなければ、他者と差別化することができません。聞き手側は、使い古された「それっぽい情報」を求めているのではなく、**本当に価値のある人やものを知るために「人の体温がある情報」を求めているのです。**

恥ずかしさから抜け出す勇気を持ちましょう。

左ページの表は、自分の人生の中に眠るエピソードを掘り起こして並べ、そこから得た価値観や考えを記すものです。他者にとっておもしろいかどうかはいちど置いておいてかまわないので、まずは埋めてみましょう。

「ストーリーを語る」ことにハードルの高さを感じる人ほど、まずは自分のライフストーリーを整理してみてください。

例には私のケースを記しています。紙幅の都合上、端的にまとめてありますが、実践する場合はできるだけ詳しく書き出すのが望ましいです。

また、小・中・高……の分類は便宜上のものなので、例えば転職や独立などの大きな転機がある人は、社会人の項目が増えてもかまいません。

自分がどの時代になにを学んでどんな考えに至り、今の自分につながっているのかを理解することができるはずです。

ライフストーリーを整理する

	経験 →	価値観
小学校	例：北海道札幌市に生まれる。5年生から学習塾に通い、第一志望の中学校に合格	例：競争環境は自分を強くする
中学校	例：進学校の学力レベルに圧倒される。高校受験に落ちたことで、自信をなくす	例：やみくもな努力は結果に結びつかない
高校	例：弁論に出合う。地味な部活動だと周囲から馬鹿にされるも全国大会で優勝する	例：周囲の意見を気にせず熱中することが大切
大学・専門学校など	例：大学進学で上京。アナウンサーを目指したがテレビ局30社から不合格を受ける	例：既存の枠組みに選ばれるためには運も必要
社会人	例：DeNA入社、人事部にて登壇社員の育成に関わる。2019年にカエカを起業	例：諦めなければやりたいことが実現できる

自分のストーリーを整理することは、大切な価値観に気づくことや、納得感を持って話す心構えを得ることにつながります。

また、今の自分がなぜこの仕事や勉強を頑張っているのか、自己内省することにもつながり、自然と言葉に活気が帯びてきます。

実際にカエカの受講者にも、ストーリーの整理によって自分が目の前のことに注力する理由を振り返ることができたことで、人生が能動的になったという人が数多くいます。

「弱さ」がいちばんの「強さ」に変わる

ストーリーを語るうえで、気を配るべきポイントがあります。

それは、心がこもっていない、うわべだけの経験を淡々と語られても、人は共感もしなければ応援もしないという点です。

本当の意味で聞き手の心を動かすには、「自己開示」が必要です。

自己開示とは、自分の悩みや弱点、または強みなど、ありのままの自分を他者にさらけ出すこと。

とくに聞き手とのチームワークをつくったり、人間として魅力的であると知ってもらったりするために重要な要素です。

なかでも「**弱みの開示**」をうまく使えると、聞き手に共感してもらったり、応援してもらったりすることにつながります。

過去の失敗、自分の落ち度、言いにくいマイナス感情……そのような、自分が勇気を持って話さなければならないことが「弱み」です。

この弱みの開示をとても上手に使っていたのが、指原莉乃さんです。

2009年から2018年にかけて実施されたAKB48の「選抜総選挙」。名前が読み上げられたメンバーは壇上でスピーチを行うのですが、その内容はファンのみならず世間の注目を集めるものでした。

2015年、第7回の総選挙で見事1位に返り咲いた指原さんは、このように語りました。

ＡＫＢに入って、なかなかセンターになれない私は、どうやったらセンターになれるんだろうと、ずっと考えていました。（中略）**考えたけど、なれませんでした。**私は開き直りました。私は指原莉乃をやり通そう、そう決めました。（中略）今年は、**こんなに自分に自信のない**指原が1位になることができました。全国の自分に自信のないみなさん、私のように、いじめられて、ひきこもりになって、親にたくさん迷惑をかけてしまったみなさん、日の当たっていないみなさん、私は、もう一度1位になることができました。

これまでの苦難や、自分に自信がないことなど、本来はキラキラ輝く瞬間を見せるはずのアイドルという職業とは対照的な、**自分にとって不利になるかもしれない一面を開示**しています。

それにより、努力して苦労してトップに辿り着いたことが聴衆に伝わる、とても多くの人を惹きつけるスピーチになっていました。

このように、自分にとって勇気が必要なことを語る、失敗を語るというのは、自分や組織を応援する人を増やすために非常に重要になります。

豊田章男が声を詰まらせて語った「弱み」

「弱みの開示」は、芸能界だけでなく、ビジネスの世界でも多く使われます。

トヨタの豊田章男前社長は、この手法を得意としています。

2020年、コロナ禍で開催されたトヨタの株主総会でのこと。

それまで自分が「台数や収益を一番に考えるのではなく、もっといいクルマをつくろうよ」と、業界の常識や会社の慣習と異なる言動をとってきたことを涙ながらに述べ、彼は自身の弱みを開示しました。

振り返りますと、私がしてきた決断は、時代の潮流にも、トヨタの保守本流にも、逆行することが多かったと思います。会社の中で、社長は「孤独」な存在です。特に、

私は、就任当初から歓迎された社長ではありませんでしたので、いろいろな意味で、「孤独」を感じることが多くありました。そんな私が、大きな流れに逆らいながらも、なんとか前に進むことができましたのは、株主の皆様のおかげでございます。（中略）最後に皆様にお伝えしたいことがございます。ご安心ください。トヨタは大丈夫です。リーマン・ショックの時と、今の我々は違います。

豊田さんは「自分は歓迎された社長ではなかった」と赤裸々に話しました。

株主総会という場の性質を考えれば、自分の落ち度や失敗を話すことはむしろ逆効果だろう、と思う人もいるかもしれません。

壇上に立つ社長は、株主に対して事業の責任を負っています。「リーダーたるもの完璧であれ」という株主からの圧力が、往々にしてかけられているものです。

しかし、ここで**自分の失敗や落ち度を出すからこそ、そのあと努力で這い上がっていき、結果的に今の良い会社ができている、というメッセージが人間味を帯びて伝わってくる**のです。

もし、ここで豊田社長が「良いこと」しか言わなかったとしたら、株主は「また、株主相手だから良いことばっかり話して」「いつも通りの総会の話だな」と鼻白むでしょう。

思いきって自分の弱みを吐露した話を聞くと、「この場で勇気を持って話してくれたんだ、応援したい」「努力をしてきているところに好感が持てる」といった反応が寄せられるのです。

とくにスピーチの場面では顕著ですが、**人前でなにかを話すという行為にあたり、ほとんどの人は自分をよく見せたがります**。つまり、サクセスストーリーなどをベースに前向きな言葉を掲げ〝強そうな〟話をしがちなのです。

しかしながら、聞き馴染みのある功績や自慢を羅列されたとて、共感や応援にはつながりません。

堂々たるリーダーのイメージからは想像のつかない「不甲斐なさ」や「申し訳なさ」など、**「本人が発することに勇気が必要な要素」がある話を聞いて初めて、私たちは本人の人格に注目し、ときに共感や応援をします**。

弱みの開示が効果的に響くのは、それがまさしく話し手自身にしか話せないことだからです。

社会的に高く評価を受けたことや功績などの強みは、数値上の実績や実際の表彰によって、社会に情報が出ます。

そのため、聞き手にとっては既知の情報であることも多いです。

本人以外知り得ない内容である弱みこそ、話し手自身の言葉として響くのです。

弱みは「決意」と「成果」をセットで話す

弱みは、ただ語るだけでは効果がありません。

弱みの開示に加えて、「決意」と「成果」を語ることが重要です。

指原さんの例

【弱み】センターになれなかった、自分に自信がなかった
【決意】指原莉乃をやり通そうと決めた
【成果】1位になることができた

豊田さんの例

【弱み】時代の潮流にもトヨタの本流にも逆行し、歓迎されなかった
【決意】なんとか前に進んでいった
【成果】株主に安心してもらえるトヨタになった

よく、この自己開示の大切さをお伝えすると、自分の弱みだけ語って話を終えてしまい、全体的に暗いトーンで話が締めくくられてしまうことがあります。

しかし、話す場面を通して達成したい目的があるならば、**自分やチームが弱みを乗り越えて這い上がったエピソードを必ず添えてほしい**のです。

それができて初めて、この「弱みの開示」をうまく利用することにつながり、聞き手の心を惹きつける話になります。

「弱みの開示」の考え方が身につくと、うまくいかなかったことや失敗してしまったことを「話のネタ」として捉えられるようになります。

お笑いの世界でいう〝おいしい〟の感覚です。

私はよく自社のメンバーから「千葉はつらかった経験をなんでもスピーチのネタにする」と言われるのですが、そのくらい、自分にしかない弱みはむしろ貴重なものだと認識してもらえたらと思います。

「強み」は「運」「感謝」とセットで話す

自己開示にはもうひとつ、「**強みの提示**」もあります。

「強み」とは、輝かしい経歴、自慢できること、最大のアピールポイントなどです。これらも目的を達成するためには重要な要素となります。

受講者やクライアントを指導するなかで、自分が何者かを遠慮して話せないという人はよくいます。

一方で、強みをストレートに話しすぎて、過去の経歴にすがっていると思われたり、自慢ばかりする人だと思われたりしてしまうのは、とてももったいないことです。

私自身は、自己紹介するとき、「全国弁論大会で3回優勝し、内閣総理大臣賞を受賞した」

ことを話しています。これは自分から言うには非常に難しいラインの経歴で、一歩間違えばたんなる自慢にしかなりません。

「強み」を語るときには、バランスの取り方を意識しています。

もっともシンプルな手法は、先に説明した「弱み」とセットで話すことです。

私はこんなふうにしています。

当時、**【弱み】勉強も苦手で、やりたいこともなくて、本当に悩んでいた**学生生活だったのですが、**【強み】弁論に出合い、話し方の学習に出合ったことで、自分の人生が変わっていきました。**

この人はなにか器用にこなすような人ではなく、苦労の末に弁論がはまったんだ、と思ってもらえます。

他にも、自分自身ではなく「運」や「感謝」にフォーカスする語り方もあります。自分だけの功績ではない、という前提に立ちながら語る手法です。

【強み】**弁論大会で優勝できた**のですが、これは私の能力が高かったというわけでもなんでもなく、【運】**ただみんなが学ぶ機会がなかった「話し方学習」を偶然学べただけだった**んですよね。仕事上、すごそうには見せてるんですけど、競技人口もすごく少なかったです。なので、私は【運】**ただ運が良かっただけ**なんです。

全国優勝は「ただ運が良かっただけ」と、自分の能力を下げる言葉を入れています。

もちろん、優勝を目指して自分なりの努力は重ねたつもりです。それでも、話し方学習に出合えたことや、弁論という種目の競技人口の少なさなどを思えば、「運が良かった」というのもまた事実です。

決して嘘をついているわけではありません。自慢しているように見えながらも、それは自分だけの成果ではない、というスタンスが出ていると、たとえ自慢のような内容であっても、聞き手側はスムーズに話を聞くことができるのです。

スタジオがどよめいた、指原莉乃の「強みの開示」

「弱みの開示」の項で紹介した指原さんは、ファンという「仲間」の存在を強調することで、自らの強みもまた巧みに表現しています。

2016年の選抜総選挙で、過去のどんな人気メンバーも達成できなかった、最多3回目の1位獲得を果たした際のスピーチから紹介します。

おこがましいのですが、一つだけお願いがあります。【強み】**この1位で三回目になります。どうか、どうか私を1位として認めてください**。私は、スキャンダルで仕事が増えましたし、スキャンダル成金と思われてもおかしくないような仕事っぷりなんですが…。(中略)【感謝】**だけど今まで1位を取ってきたメンバー同様に、ファンの絆は厚いと思っています**。なので、私の1位は当たり前ではありません。私の1位が倒せない。そういうことではなく、【感謝】**私のファンのみんなが、無理に無理に無理を重ねての1位です。ありがとうございます**。どうか私に、〝心からのおめでとう〟をお願いします。

1位を3回取ったことを自ら語り、それを認めてほしい、と素直に言っています。

当時の様子はテレビで生中継されていましたが、「認めてほしい」という言葉が発せられた瞬間、スタジオのタレントからはどよめきが起こっていました。

しかし、それはファンの〝無理〟によって成り立っているのだと続けます。

もちろん、認められて当然の圧倒的な成果があることは前提にありつつ、「私はすごい」→「それはファンのおかげだ」とつなげることで、一体感が生まれました。

これも上手な強みの開示方法です。


なお、「運」「感謝」に加え、「未来」も強みとセットにしやすいテーマです。

私のクライアントでいうと、経営者や政治家は、自分が成し遂げたことを主張するべき場面が多いです。

そういうときは、「ゲームアプリ××のユーザーが100万人を突破しました」「××市の給食費の無償化を実現しました」といった成果だけを話すのですはなく、「これからもお客様に楽しんでいただくために××を頑張ります」「この施策を第一歩として××な××市を実現します」といった未来の話とセットで語りましょう、と指導しています。

このように、**強みを話すときは、強み「だけ」を話すべきではない**ということを覚えておいてください。

千葉の例

【強み】弁論の全国大会で優勝した
【運】「話し方学習」に偶然出合い、学べただけ

指原さんの例

【強み】総選挙の1位を3回とった
【感謝】厚い絆のあるファンが無理を重ねてくれた

弱みや感謝、また未来への歩みとともに強みを話すことで、話を効果的に伝えることができるはずです。

芥川賞作家から学んだ「描写」の力

私が新卒で入社したのは、DeNAという会社でした。

DeNAはさまざまな事業を手掛けています。ゲーム・エンタメだけでなく、野球、ヘルスケア、ライブコマース等々、幅広いコンテンツを提供するメガベンチャーで、私は当時、小説投稿サイトの企画職に配属されました。

そのサイトは一般のユーザーがネット小説を投稿できるプラットフォームで、人気作品は出版社の目に留まって書籍化されたり、アニメ化されたりすることもあるような大規模なものでした。

当時の私の仕事は、ユーザーの執筆のモチベーションを喚起する企画をたくさんつくるというもの。そのなかのひとつに、作家の石田衣良さんがユーザーの小説を指導するというプロジェクトがありました。

そこでなんと、上司の鶴の一声で私自身も小説を書くことになり、運営の一員でありながら、実際に企画に参加して石田さんの指導を受けたのです。

そのとても貴重な体験から学んだことのひとつが、**人を惹きつける物語というのは、詳細な「描写」によって生まれる**ということでした。


「もっと情景を深く書いてください」

「なにが見えたのか、どう感じたかというところの描写が足りません」


執筆を進めるなかで、そんな指摘を受け続けました。

人間の葛藤や、汚い部分、苦しい部分まで描写することによって、共感や、主人公を応援したいという気持ちが芽生える――。

実際に小説を書いてみて、そして、小説家というまさに〝物語る〟ことのプロフェッショナルからのフィードバックによって、「描写力」の重要性を深く実感しました。


この経験をベースに「話す」という観点から私なりに解釈・再構築をし、ストーリーテリングにおける「描写」には3つのポイントがあると考えています。

それは、「時間軸」「五感」「感情」です。

過ごした「時間」の濃密さが表れた歴史的弔辞

順番に解説していきましょう。

ひとつめは「**時間軸**」です。

話のなかで、ある一瞬を示すだけでは、平坦に聞こえてしまいます。ストーリーを語るときは、いくつかの時間軸を設定し、時系列順に場面を変化させることで、物事の変遷がよりクリアに伝わり、エピソードの厚みが増します。

菅義偉元首相による安倍晋三氏への弔辞では、まさにこの時間軸の変化が用いられる場面がありました。

（安倍氏が、自身が過去に持病によって総理の座を退いたことを）負い目に思って、

二度目の自民党総裁選出馬をずいぶんと迷っておられました。最後にはふたりで銀座の焼鳥屋に行き、私は一生懸命あなたを口説きました。それが使命だと思ったからです。**3時間後には、ようやく首を縦に振ってくれた。**

もしこれが、「総裁選に出馬してもらおうと、一生懸命あなたを口説き、了解を取り付けました」と**ひとつの時間軸で語られると、「ストーリー」ではなく「ある経験の紹介」に留まってしまいます。**

「二度目の自民党総裁選出馬をずいぶんと迷っておられました」
「最後にはふたりで銀座の焼鳥屋に行き、私は一生懸命あなたを口説きました」
「3時間後には、ようやく首を縦に振ってくれた」

と、3つの時間軸を入れることで、安倍氏の総裁選出馬への決意の重さや、菅さん自身の覚悟、なによりも、ふたりが過ごした「時間」の濃密さがまさに表現されています。

このテクニックを実践する場合、いくつの時間軸を入れるかは状況によって変わります。意識して時間軸を置く場合、まずは3つがつくりやすいです。

語りたい経験の前、最中、後、という形式が取れるので、とくに汎用性が高く使いやすいでしょう。

時間軸は語りたい内容に合わせて数を増やすことも減らすことも可能ですし、数時間程度の間隔で区切ることもあれば、数日・数年空けて設定することも可能です。

また、それぞれの空ける間隔は同じである必要はありません。例えば、1週間前、当日、3日後といった空け方でも、10年前、当日、1時間後、でも問題ありません。

その話のコアメッセージに合わせて、出来事の流れがわかりやすく、印象に残るエピソードが切り出せる箇所に時間軸を置いてみてください。

「五感」の表現で話に深みが生まれる

「五感」の描写も大切な要素です。
視覚、聴覚、嗅覚、触覚、味覚……この五感を話の中に上手に組み込むことができれば、聞き手は様子を想像しやすくなり、話に聞き入ってくれます。

先ほど、菅さんの弔辞を紹介しましたが、ここではそのあと行われた野田佳彦元首相の追悼演説を例に解説します。
安倍氏とは与野党という関係性でのスピーチとなりました。

解散総選挙に敗れ敗軍の将となった私は、皇居で、あなたの親任式に、前総理として立ち会いました。同じ党内での引継ぎであれば談笑が絶えないであろう控室は、勝者と敗者のふたりだけが同室となれば、**シーンと静まりかえって、気まずい沈黙だけが支配します。**その重苦しい雰囲気を最初に変えようとしたのは、安倍さんのほうでした。**あなたは私のすぐ隣に歩み寄り、「お疲れ様でした」と明るい声で話しかけてこられた**のです。

「シーンと静まりかえる」という聴覚から感じられる雰囲気、「歩み寄る」という視覚情報。このように、**五感の表現が入ることにより、聞き手にとって見たことのないその場面がありありとイメージできる**のです。

私がこれまで指導した感覚だと、視覚・聴覚は比較的表現しやすいという人が多いです。「**視覚**」はその経験をした場所の様子、一緒にいた人の表情、しぐさなど、とにかく「目に見える情報」です。

「**聴覚**」はその場でやり取りをした会話、話し相手の声色、流れていた音楽などが含まれます。

次に考えやすいのは「**触覚**」で、着ている服がこすれる、持っているものが重いか軽いか、などが該当します。

「触覚」は話者の感情を暗示するものを選択することもでき、表現に入れることができると効果的です。よく小説の表現などでもありますが、例えば、「手に持つ300ページの参考書がいつもよりも重く感じられる」と表現されていると、その状況に後ろ向きであることが伝わります。「ゆっくりと少しずつ子犬に触れました」と言うと、子犬と接することに対して慎重な気持ちが表現できたりもします。

とくに難しいのは「**嗅覚**」と「**味覚**」です。経験の中にとくになければ無理に入れる必要はありませんが、もし、記憶している匂いや味の感覚があれば、ストーリーを際立たせる重要な要素となるでしょう。

嗅覚は、工場であれば接着剤の匂い、サロンであればバラのフレグランスの匂い、など場所の雰囲気を伝えることができます。焼き芋の湯気が上がった甘い匂いもあるかもしれません。食べものに関わる状況では、まさに使っていただきたいです。

味覚は、食べものの味の感覚はもちろんのことですが、飲む行為や口の中の様子なども表現することができます。「のど飴をつねに舐めていて口の中がスースーする」「唾を飲み込んだ」などは緊張感のある場面を想起させます。「深夜の残業で食べるカップ麺の塩けが効く」と表現すると、切羽詰まって頑張っていることがひしひしと伝わってきます。

五感を用いて表現することは、エモーショナルなスピーチやプレゼンでのみ役に立つテクニックだと思われがちです。

しかし、リアルな情景を想像させて聞き手の心を動かすことは、ビジネスの場面にも大いに役立ちます。

例えば不動産の営業をする際、

Good

物件から徒歩2分のところにある××公園は週末になると【視覚】**家族連れであふれていまして、**【聴覚】**園内は子どもたちの声で賑わっています。**秋には金木犀（きんもくせい）が咲き誇ることで有名でして、私も秋に××公園に行ったことがあるのですが、【嗅覚】**香りがとても心地よい**んですよね。また、立地上ビル風もなく年中【触覚】**穏やかな風が吹いている**ので、お子さんが元気に遊べる環境だと感じます。

などと活用できます。たんに「おすすめです」と言うよりもずっと、相手の心を動かすことができるはずです。

シンプルな表現だからこそ強い純情な感情

続いて**「感情」の描写**です。

「嬉しい」「悲しい」「怒った」「驚いた」など素直に思った気持ちを言語化すると、気持ちがダイレクトに伝わる、心のこもった話につながります。

先ほどからご紹介している菅さん、野田さんのスピーチの中にも、この感情がダイレクトに表現されている箇所があります。

菅さんは次のように。

悔しくてなりません。悲しみと怒りを交互に感じながら今日のこの日を迎えました。

（安倍氏の総裁選への立候補を取り付けたことを）菅義偉、生涯最大の達成としてい**つまでも誇らしく思う**であろうと思います。

野田さんは、親任式で安倍氏からの励ましの言葉をかけられたことに触れて。

そのときの私には、あなたの優しさを素直に受け止める心の余裕はありませんでした。

「悔しい」「怒りを感じる」などの直接的な表現によって、本人の気持ちをストレートに感じることができます。また、「心の余裕がない」「誇らしく思う」といった素直な気持ちの吐露も、思いが伝わってきます。

このように、自分がなにを思い、どんな感情になっているかを直接言葉にするということは、話し言葉をつくるうえでとても重要なのです。

ふだん、ビジネスライクな会話に慣れている人は、感情なんて必要ないと思うかもしれません。まったく感情を含めて話したことがない、という人もいると思います。

ですが、**声という音にのった状態で聞く感情表現は、シンプルに、そしてわかりやすく伝わるもの。**

嬉しい、という響きの言葉を聞けば全体がパッと明るい雰囲気になる。悔しい、といえば、勇気を持って話してくれたとじーんとした雰囲気になる。

これは、文字よりも音で聞くことで、より一層実感できるポイントです。


また、時間軸の変化のなかで感情にも変化が生まれると、話に起承転結がつきやすくなります。人物の心情が変わるというのはまさにストーリーそのものです。


ここまでお伝えした「時間軸」「五感」「感情」の描写を実践できるよう、187ページにフレームを用意しました。

縦軸には「出来事・状況」「五感」「感情」を記す7つの空欄があり、横軸は「時間軸」になっています。

まずは語りたい出来事や状況を決め、その前、最中、後と3つ時間軸を設定します。先述したとおり、時間軸同士の間隔は同じである必要はありません。この項目の「例」として図に入っているのは、なにかのイベントのときの経験を語るものとし、その1週間前、当日、次の日、と時間軸を設定したイメージです。

どの出来事のいつの時間軸を取り上げるかを決めたら、そのときの「五感」と「感情」について、それぞれ埋めていきます。どんな感覚を覚えたか、どんな感情を抱いたかを思い出しながら、できるだけ詳細に書き出しましょう。すべての欄を埋められると理想的です。

項目を埋められたら、そのなかからいくつかをピックアップして組み合わせ、文章に落とし込みます。

ひとつの時間軸につき「五感」と「感情」から3つ程度を抜き出し、時間軸順に並べると、豊かな描写に満ちた原稿が完成するはずです。

描写力は、自分の思いを届けるために重要なスキルです。このフレームを参考に、意識的に取り入れてみてください。

五感と感情のフレーム

	時間軸1	時間軸2	時間軸3
出来事・状況	例：イベント1週間前	例：イベント当日	例：イベントの次の日
視覚 場所の様子、人の表情やしぐさなど			
聴覚 やり取りした会話、流れていた音楽など			
嗅覚 空間の匂い、食べものの匂いなど			
触覚 手に持つものや、着ているものの感触など			
味覚 食べものの味や、口の中の様子など			
感情 喜怒哀楽や、驚き、悔しさなど			

第4章

ファクト

“納得感”を生む「事実」の取り扱い方

聞き手の〝当事者性〟を高める「事実情報」

第3章では、話の中身として「ストーリー」について解説しました。

この第4章では、ストーリーとは対になる「ファクト」というものについて、その扱い方を解説します。

「ファクト」とは、「事実情報」を指します。

具体的な機能や、数字情報、社会的な背景といった、自分の経験や感想ではない〝**誰が見ても同じ**〟情報全般です。

人間が「社会的動物」と呼ばれる通り、私たちの日々の仕事や暮らしは社会と密接につながっています。私たちが達成したい目的が、仕事であれば組織や社会の状態をより良くするためのアクションであることも多いでしょう。

そんなとき、ストーリーだけをどんなに熱量を持って話したとて、それは話し手自身がこれまで見聞きしたものが集積されている結果であって、聞き手側は必ずしも自分ごと化できるわけではありません。「個人の意見でしかない」「世間知らず」などと話を聞き入れてもらえない可能性もあります。

そこで、「実現したいことが、なぜ今社会で必要とされているのか」「社会の流れとして具体的に起きている事象から、提案の必要性を訴える」などとファクトを味方につけられると、聞き手も当事者であることを理解してもらえたり、自らに関連する話であると実感でき、納得してもらえます。

また、話し手本人に当事者性がないテーマであっても、社会全体にとっては大きな関心事であることや、広く世界が注目される点であることが示されます。

ファクトの扱い方次第で、**話にわかりやすさや明快さが生まれ、たくさんの人に自分ごととして捉えてもらうことができる**のです。

「自分」と「社会」を接続して話そう

私のクライアントには、民間企業や個人事業主から政治家になるなど、初めて選挙に出る人や、政治家になったばかりの人も多くいます。彼らは、話に社会性を持たせることの必要性にもっとも迫られています。

まったく別の畑から、生き馬の目を抜く政治の世界に飛び込む人は、それだけの熱意も覚悟も持っています。ただ、有権者が抱える課題の実情を詳細に語れず、「勉強不足」などと甘く見られてしまうことがあるのだそうです。

ある若手議員から「壮大な思いばかり語っていたら、現場のことをわかっていないと支援者から指摘された」という相談を受けたことがあります。

そこで、これまでの議員活動をすべて棚卸しし、そこで扱った事実情報や実現したことをわかりやすく話す練習をしました。

実行した政策の名称や定義はもちろんのこと、その政策ができる前に起きていた社会問題と具体的な数字、どれくらいの月日で具体的にどのようなルールを変えたのか、どんな制度が生まれたのか、どのくらいの人数がその恩恵を受けたのか……。

議員当人にとってはあたりまえの情報であっても、「把握していること」と「話せること」は別。他者には政策の仕組みや実行手順、背景、具体的な成果などは、じつは伝わっていないものです。

事実情報をどう価値づけるか、どの順番でどんな数字を使えばわかりやすいのか、一緒に選択しながら日頃使う言葉をブラッシュアップし、適切な分量で話せるところまで練習を重ねました。

結果、支援者の反応は大きく変わりました。「自分の言葉でやりたいことを伝えていた」「すごく努力をして地域や日本を良くしていることが伝わり、かっこよかった」と言われたそうです。

数字やデータ、過去にあった事実を踏まえて話すことで、「思い」や「やりたいこと」に説得力が生まれたのです。

また、話し手自身も、事実情報をきちんと根拠に置くことで「たんなる自分の思いつきではない。社会にとって大事なこと、やるべきことなんだ」と確固たる自信を持ちながら話せるようになったことが、信頼感につながったのでしょう。

ストーリーが熱意と共感を生むものだとしたら、ファクトは信頼と納得を生むのです。

社会背景を示すと言葉の「確からしさ」が高まる

ファクトにあたる情報にはさまざまな種類がありますが、話し言葉に効果的に生かすことができるポイントをお伝えしていきます。

まずは「**社会の事象**」です。

日頃のニュースなどをチェックすることは、まさに、目的を持った話をするうえで重要であり、社会で起きていることをベースに語ることができれば、言葉に信頼感が宿ります。

とはいえ、あらゆるジャンルで新しい出来事が起こり続ける現代社会において、すべてのことに詳しくなり、すべてを話せるようになるのはほとんどの人には不可能です。

重要なのは、**適切な情報を知っていて、それを適切なタイミングで相手に届けられるか**

この度はご購読ありがとうございます。アンケートにご協力ください。

本のタイトル

●ご購入のきっかけは何ですか?(○をお付けください。複数回答可)

1 タイトル　2 著者　3 内容・テーマ　4 帯のコピー
5 デザイン　6 人の勧め　7 インターネット
8 新聞・雑誌の広告(紙・誌名　)
9 新聞・雑誌の書評や記事(紙・誌名　)
10 その他(　)

●本書を購入した書店をお教えください。

書店名／　(所在地　)

●本書のご感想やご意見をお聞かせください。

●最近面白かった本、あるいは座右の一冊があればお教えください。

●今後お読みになりたいテーマや著者など、自由にお書きください。

どうもありがとうございました。

郵便はがき

おそれいりますが
切手を
お貼りください。

1028641

東京都千代田区平河町2-16-1
平河町森タワー13階

プレジデント社
書籍編集部 行

フリガナ / 氏　　名		生年（西暦）　　年	
		男・女	歳
住　　所	〒 TEL　（　　）		
メールアドレス			
職業または学校名			

どうか。

まずはふだんから、自分の仕事に関連する出来事や、よく話すことの裏付けとなるような社会的な事象に関する情報をストックしておくようにしましょう。

例えば私の場合は「話し方」「伝え方」や「学び」に関わるニュースにつねにアンテナを張っています。

・「話し方」ジャンルの書籍として、『頭のいい人が話す前に考えていること』(ダイヤモンド社)が2023年の年間ベストセラーランキング(ビジネス書)で1位になった

・政府は人への投資・リスキリング(学び直し)への公的支援を拡充を表明。個人のリスキリングに対する公的支援については、人への投資策を「5年間で1兆円」のパッケージに拡充するとした。

・KDDIの大規模通信障害を受けて、高橋誠社長が記者会見。約2時間に及んだ会見では終始、冷静かつ理路整然と質疑応答をこなし、さらには報道陣から質問が出なくなるまで会見を続けるなどして、SNS上で称賛の声が相次いだ

このような事柄を押さえておいて、うまく話に組み込むことができれば、主張に説得力を持たせられます。

「国としてリスキリング教育が推進される時代、ビジネスパーソンこそ話し方を学び直そう」という文脈で話したり、「話し方ひとつでピンチはチャンスに変わります。ですから、話し方トレーニングが必要なのです」と展開したり。

私が手掛けているビジネスは時流に沿うものだ、というアピールができるのです。

そもそも、自分が仕事や学業をする業界内や近しい人との会話であれば、一定程度の知識がなければ一人前とみなしてもらえません。業界外の人と話すときは、当然その分野の話題に詳しい状態であることが期待されます。

自らの信頼性を上げ、言葉に確からしさをもたらすために、自分が「専門」とするジャンルのニュースやトレンドは押さえておくべきなのです。

キーワードで検索するだけでもかなりの情報を得ることができますから、まずは自分がもっとも話すことが多いトピックスから始めていきましょう。

「最新」の情報かどうか、「細心」の注意を払え

社会的な情報を扱うにあたり、「鮮度」には注意が必要です。

例えば先の「ＫＤＤＩの会見」の例を見て、「そういえばそんなこともあったなあ」と感じた人も多いと思います。この問題が起こったのは２０２２年7月でした。

このような情報を扱う場合、「みなさんご存じの」や「記憶に新しい」といった文脈で引き合いに出すと、話す内容が更新されておらず、この場のために用意されたものではないかのような印象を与え、聞き手を興ざめさせてしまいます。

直近の事例と交えて並列して提示する、この場合は、他の記者会見関連のニュースと一緒にグルーピングして紹介することで、鮮度を調整するといった工夫が必要でしょう。

もちろん、たんに情報の新規性が落ちることと、社会的な意義とは必ずしも相関しません。

古い情報だからまったく意味がないということはありませんし、逆に「ずっと続いてい

る」という側面から情報的価値を持たせられるケースもあります。

その出来事がどのくらいインパクトのあったことなのかによって、鮮度の〝持ち〟も変わります。

あくまで「聞き手がどう感じるか」に主眼を置いて考えなければならないということは、ここまで繰り返しお伝えしてきた通りです。


私はこれまで多くの人の話し方向上のサポートをしてきましたが、自分と社会とを接続して話す、というのは無意識にできている人とまったくできていない人の差が激しいです。

社会性を組み込むことは、世の中のトレンドや流行を押さえて話ができているということでもあります。

時流を読んでモノやサービスを売りたい人、社会の動きを捉えてリーダーシップを取っていかなければならない人には必須のスキルです。

「問い」を立てて「数字」を見つける

話し言葉に生かせるファクトのもうひとつは、「**数字情報**」です。

ビジネスシーンではよく、「数字を根拠に話せ」ということが言われます。

数字は世界共通の指標であり、誰が聞いても同じ量を想像することができます。

数字を巧みに使うことができる人は、「正確な話をしている」と認識してもらえることが多いです。


自分が携わった出来事や調べた情報が、明確に数字として表せる、示されている場合も多いと思いますが、そうでない場合も、少し**頭を捻ってもう一歩深掘りし、数字に落とし込めると、より説得力を持たせられます。**

Bad

世界のトップエリートは、「話し方」をとても重要視しています。例えば、オバマは専属のスピーチライターを起用していました。

このような事実情報を語るとします。これだけでも悪くはありませんが、もう少し深い情報を加えたいところです。

では、専属のスピーチライターを起用していたのはいつからなのか？　何人いたのか？どのくらい原稿を書き直していたのだろうか？

そのように問いを立てて調べてみると、さまざまな数字情報が見つかります。

Good

世界のトップエリートは、「話し方」をとても重要視しています。例えば、オバマは大統領就任前の**2007年からスピーチライターを起用**していました。在任中の**2011年夏時点では、8人もの専属スピーチライターを抱えており、スピーチによっては15〜20回ほど書き直したこともある**と言います。

情報の密度がかなり濃くなりました。

オバマがどれだけ「話し方」を重視していたか、スピーチライターの起用時期、人数、原稿の推敲回数などの具体的な数字を絡めて、説得力を持って話すことができます。

またここでは、「オバマが起用していたスピーチライターは8人〝も〟いた」という数字のギャップで惹きつけることもできます。

ふつう、「専属のスピーチライター」と聞くとひとりの専門家が付いているのをイメージしますよね。聞き手も同じ固定観念を持っていることが予想されるので、「8人」という具体的な数字は〝驚きの情報〟となり、スピーチライターの存在や話す力の重要性をさらに印象づけることができるのです。

数字情報は「事実の深掘り」でつくれる

数字情報は、検索して見つかるものばかりではありません。そんなときも、自分の視点の持ちようにより、さまざまに表現することが可能です。

例えば、カエカに「中学生の頃からスピーチの動画を見ることが趣味で、今も続けている」という自己紹介をしていたスタッフがいました。

私はそれを聞いて「これまで見てきたスピーチの数を数えてほしい」とお願いしました。

彼は、過去に見た履歴、大学時代に研究してきたスピーチの本数などを数え、少なくとも1000本は超える、という数字を弾き出しました。

そして今では「これまで中学生の頃から1000本以上のスピーチを見てきて、なにが心に響くのかを考え続けてきた」と語るようになりました。

彼自身が深掘りして生まれた数字によって、説得力が増したのです。

これは就職や転職活動における自己PRと同様の考え方です。自分のやってきたことをどの程度、具体的に語ることができるか。

誰もが、ふだんから自分の努力に関してなにか数字に落とし込んでいるわけではありません。改めて問いを定めていくことによって、自分の確からしさを数字にしていくと、伝わり方は変わるのです。

このように、**事実に対して深掘りをする「問い」を持っておくと、数字情報の威力を増幅させることができます。**

私は数字情報を「過去実績」「社会背景」「未来宣言」の3タイプに分類して使用してい

ます。自分がふだん、どのタイプの数字を使うことが多いかを認識すると、新しい使い方に気づくこともできます。

過去実績

・株式会社カエカ：トレーニング提供5000人、創業5年目、1.2億円のアーリーステージ資金調達、従業員数前年比3倍
・千葉佳織：全国弁論大会3度優勝、2013年慶應義塾大学総合政策学部入学、2017年DeNA入社、新卒2年目で人事部に異動しスピーチプロジェクト発足、2019年にカエカ創業

社会背景

・国立国語研究所の調査によると日本人の平日の平均の話す時間は6.1時間
・「総合型選抜」での大学入学者数は2017年〜2022年にかけて5年で41％増加
・2022年秋、政府はリスキリングに5年間で1兆円の投資を表明
・年間ビジネス書ランキングで「話し方」ジャンルの本のトップ10入りは10年連続

未来宣言

・年間売上成長率200%以上、従業員数3倍以上、メディア掲載数150件以上、3年以内に10億円以上の資金調達を目指す

※未来宣言のみ、事実事項ではなく一定のロジックを組んで描くビジョン

実際に他者の話を聞いていると、この3種のどれに数字が活用されているかによって印象が変わることを実感できます。

例えば、過去実績によく数字を使っている話は、努力が積み重なっている、自分や組織がこれまで積み上げてきたものに自信がある、どっしりとした信頼感を感じる話が多いです。

社会背景に関する数字は、聞き手側にも関わるものであるため、聞き手が自分ごとにしやすかったり、聞き手にとっても役立つ有益な情報を提供できていたりと、話に賢さや配慮などを感じられることが多くあります。

未来宣言は、性質によってはたんなる事実情報と種別は異なりますが、**「事実情報から算出して可能性を示す」という点で、数字ならではの効用が表れるもの**です。具体的な数

字を示すことで、話し手が「必ず成し遂げるんだ」というプレッシャーを自分自身にもかけている形となり、熱意を示すことにもつながります。

リアリティをもたらしたいのか、インパクトを与えたいのか。

「数字情報」とひとことで言っても、使い方によって聞き手に与える印象はさまざまに変わるのです。

「具体」と「抽象」を行き来して最適解を見出す

数字に起こしていくことの良さは「具体性が増す」ことにあります。

話し言葉の性質上、「なんとなく」の情報伝達が行われることは非常に多いのですが、具体的であればあるほど、話し手と聞き手が同じ状況を頭に浮かべることができます。

そこが、具体性が高い話の優れている点となります。

ただし、すべてがすべて具体的な内容にしてしまうと、話がかっちりとした情報であふれすぎてしまうケースがあります。
状況によってはむしろ、抽象的な表現のほうが伝わりやすい場合もあります。
抽象的であればあるほど、聞き手の解釈に委ねられる、むしろ、その曖昧さが受け入れやすく自分ごと化しやすい、といった点もあるのです。

自分が語ることが、具体的なほうがいいのか、抽象的なほうがいいのか。どちらがふさわしいかを考えて、さらには組み合わせることができると、伝わりやすさにさらなる磨きがかかります。

スライドを読み上げたらそこでプレゼン終了

こんな場面に出くわしたことはないでしょうか。

営業マンが資料に書いてあることを一字一句話している。学会発表や採用説明会などで、登壇者がスライドの細かい文字をすべて音読している。

話し手は、上から順番に文字を読み上げることに夢中で、聞き手の飽き飽きした表情に気付いていない。結果、決められた時間を大幅に超過し、互いに時間を無駄にする――。

こんなふうに、資料を用いた説明やスライドを使うプレゼンの際、なにも考えずに書かれた事項をただそのまま読み上げるだけの人がとにかく多いと感じます。

おそらく幾人もの目を通っている資料ですから、書かれている情報は正しいもの、ファクトなのでしょう。

しかし、「話して伝える」という行為においては、情報の取捨選択ができなければ、ただ事実を詰め込んで話していることとなり、要点が絞られておらずわかりにくくなります。

そもそも、**テキストとして見たときのわかりやすさと、話し言葉で聞いたときのわかりやすさは異なります**。事前に作成したテキストをただ読み上げて終わってしまうのは、非常にもったいない。

ファクトを扱うときは、どこを削ぎ落として、どこを残していくのか、という取捨選択が重要です。

そのときに重要なのは、コアメッセージとのつながりの意識です。

コアメッセージに向けたダイレクトな根拠となる部分は残し、なくても筋が通る場合は積極的に省いていくことをおすすめします。

例えば、次のような施策プレゼンがあるとしましょう。

Bad

ライフステージを通じた子育てに係る経済的支援の強化の一環として、学校給食費の無償化に取り組みます。××市における2024年度の学校給食費の額はひとりあたり月額4840円、年額5万8080円です。2024年度現在、××市立小中学校の合計人数は6421人となり、試算すると、学校給食費の無償化には年間約3億7000万円が必要となります。現在、地方公営企業への基準外繰入金は年間約4億円となっており、それとほぼ同じ予算で学校給食費の無償化は実現できるのです。国においても「こども・子育て政策の強化について（試案）」の中で、学校給食費の無償化に向けて、給食実施率や保護者負担軽減策等の実態を把握しつつ、課題の整理を行うとしており、それらの動向を踏まえながら、しっかりと学校給食費の無償化に取り組みます。

具体的な数字や施策名が事実情報として示されていますが、聞き手は一つひとつの情報を覚えたり理解したりすることができず、話についていけないでしょう。

ここでのコアメッセージは、「学校給食費の無償化は実現できる」ということ。それを伝えるために不可欠なファクトだけを残します。

Good

学校給食費の無償化に取り組みます。現在の児童生徒数から試算すると、無償化には年間約3億7000万円が必要となります。しっかりと財源を確保すれば、学校給食費の無償化は実現できるのです。国も現在、学校給食費の無償化に向けて課題の整理を行うとしており、それらの動向を踏まえながら、積極的に取り組みます。

年間でいくら必要なのか、という数字だけを残し、その試算の内訳はカットします。また、国の施策の正式名称はここでは必要ないので、「国も取り組んでいる」ということだけを伝えます。

このように、事実だとしても、そのコアメッセージにつながらないような話は基本的に削ぎ落としてかまいません。

状況に合わせて必要な情報を適切に摘み出し、適切に並べて、納得度の高い話をしていきましょう。

「事実だから」と思考停止するのではなく、**事実だからこそ、あなたが成し遂げたい目的にとって必要なものかどうか、聞き手にとって受け取りやすいものであるかどうか、よく吟味することが肝要**なのです。

「ストーリー」と「ファクト」を組み合わせて〝自分の意見〟を生み出そう

ストーリー×ファクト＝「なるほど！」

第3章で「ストーリー」の大切さ、第4章で「ファクト」の大切さを語ってきました。
改めておさらいすると、どちらも、私がスピーチライターとして指導するなかで用いている用語で、ストーリーは「自分に基づいた内部情報」、ファクトは「事実に基づいた外部情報」を指します。

ストーリー：内部情報、自分から語る情報、主観的＝話に情熱を生む
ファクト：外部情報、誰が見ても同じ情報、客観的＝話にわかりやすさを生む

ここまで本書を読んだ人は、どちらの重要性も理解できたと思います。

ですが、各章のなかでも触れてきたように、ストーリーのみ、ファクトのみで人を説得できるかというと、私はそうではないと考えています。

話の説得力を高め、「なるほど!」と真に聞き手に〝腹落ち〟してもらうためには、**共感と熱意のストーリー、信頼と納得のファクトを組み合わせて話していくことが重要**なのです。

「ストーリー」と「ファクト」を組み合わせ、状況に応じてその割合を調整することで、聞き手に対して効果的に伝えることができます。

例えば、アップルのAirPods Proについてプレゼンするとしましょう。

ストーリーだけで原稿をつくると、このようになります。

私のおすすめはApple AirPods Proです。私はふだん、カフェで仕事をすることが多くあり、ちゃんと集中したいと思う場面があります。でも、すぐ隣で話している内容がおもしろくて聴き入ってしまうんです。その人たちの話し声が聞こえないように音楽を大音量で流すと、集中力が乱されてしまいます。そんな時に、AirPods Proの軸の部分にあるボタンを押すだけで、外部音が聞こえなくなり、自分が異世界に行ったかのように音が遮断されます。おかげで集中することができました。

おもな内容は、

・カフェで仕事をすることが多くありちゃんと集中したいと思う
・すぐ隣で話している内容がおもしろくて聴き入ってしまう
・人の話し声が消えるように音楽を大音量で流すと集中力がかき乱される
・自分が異世界に行ったような感覚になる

などです。ノイズキャンセリング機能の高品質さをうたい、その根拠は話者自身の習慣とそれに伴う内面の葛藤、感覚の描写などで表現されています。

一方、ファクトだけだとどうなるでしょうか。

インターネット検索で事実として見つかったもの、また、Apple AirPods Proの説明書に書いてある数字や機能面をもとにした内容がこちらです。

・シリーズ全体の出荷台数は年間９０００万台に達する

・ノイズキャンセリングソフトウェアが1秒間に4万8000回音声信号を調整
・外向きのマイクが外部音と環境ノイズを検知してバックグラウンドノイズを除去

これらの情報だけでプレゼン原稿をつくるとすると、

私がおすすめしたいのはApple AirPods Proです。こちらはノイズ機能の質が高いことが特徴です。外向きのマイクが外部音と環境ノイズを検知して、バックグラウンドノイズを除去しています。なんとノイズキャンセリングソフトウェアが1秒間に4万8000回も音声信号を調整しているんです。好調な売れ行きを受け、シリーズ全体の一昨年の出荷台数は9000万台に達するといわれています

となります。

全体的にしっかりとした、きちんとした印象を与える話になります。

それでは、ストーリーとファクトを組み合わせてみましょう。

私のおすすめはApple AirPods Proです。【ファクト】全世界的に売れ行きが好調な商品で、一昨年の出荷台数は9000万台に達しています。こちらノイズキャンセル機能の質が高いんです。【ストーリー】私はふだん、カフェで仕事をすることが多くあります。その中で「ちゃんと集中したい！」と思う場面があります。しかし、すぐ隣で誰かが話している内容がおもしろくて聴き入ってしまう。だからといって、その人たちの話し声が消えるように音楽を大音量で流すと、集中がかき乱されてしまうんです。そんなときに、AirPods Proの軸の部分にあるボタンを押すと、外部音がまったく聞こえなくなります。自分が異世界に行ったかのように音が遮断され、おかげで集中することができました。【ファクト】じつは、Pro本体の外部にマイクがついていて、そのマイクが外部音と環境ノイズを検知し、バックグラウンドノイズを除去しているんです。本体のノイズキャンセリングソフトウェアは1秒間に4万8000回も音声信号を調整しているため、外部音が遮断できるといいます。技術が実現した、最高の集中体験、みなさまもいかがですか」

しっかりきちんとした情報と、あたたかく人柄のわかる情報、それぞれの視点からモノの魅力を説明しており、説得力が一気に増すのです。

聞き手に合わせてバランスを調整せよ

ストーリーとファクトは、たんにバランス良く組み合わせればいいのかというと、じつはそうではありません。割合に絶対的な正解はなく、状況に応じて変化させることが重要となります。

私はふだん、会社の代表取締役という立場で話をしていますが、状況によって情報の使い方を変えています。

例えば、企業に出向き、講演を行う場面。

マネジメント層や営業職に向けて、話し方の重要性やスキルの解説をしてほしい、との依頼を受けて登壇することが多くあります。

このとき、依頼元である企業の総務部や人事部にヒアリングしてみると、「社員に、学習する心構えを持ってほしい」という期待を持っているケースが少なくありません。

その期待に応えるためには、ただスキルやメソッドを解説するだけでは足りません。「なぜ自分がこの事業を始めたのか」「事業をすることによる困難はなんだったのか」「自分はどのような成功体験から今の価値観を信じているのか」といった内容を中心にします。そのうえで、実践的なメソッドの解説に移ります。

「話し方の学習を通して人生を切り拓いてきた」という私自身のストーリーを厚く語ることで、話がエモーショナルになり、学びの重要性がより深く伝わります。アンケートに「感動した」と書いてもらえることも多くあります。

例えば、外部投資家に投資を依頼する場面。

投資家は、論理思考を重視する職種。彼ら彼女らが知りたがるのは、「事業を通して実現できている事実」や「数字から読み取れる事業の可能性」です。

そこで、事業のミッションやビジョンだけでなく、カエカの受講者のプロフィールや属性の統計、市場の大きさの提示、ポジショニングマッピング、数か月単位での受講者数の推移などを抽出し資料化。データで語ることができ、外部情報からまとめたファクトを多く取り入れたプレゼンを敢行しました。

結果として、資金調達を成功させることができました。

これは、私が事業への思いを語っているだけでは成し得なかったと思います。**聞き手である投資家に〝刺さる〟ファクトの割合を増やすことで、より一層、事業の魅力を理解してもらえた**のです。

まずは自分の性質を自覚することから

戦略的にストーリーとファクトの組み合わせを構築するうえで、まずは**自分自身がストーリーを重視するタイプなのか、それともファクトを重視するタイプなのかを理解することが大切**です。

私のクライアントでいうと、ビジョン型で人柄が強みの経営者や政治家・管理職、接客業、エンタメ業界、芸能人といった、感覚的な共有を重要視する人は、基本的にストーリーベースで話します。

頭の回転がはやいタイプの経営者や政治家・管理職、コンサルタント、エンジニア、投資家といった、ふだん論理思考を重視する仕事に従事している人は、ファクトベースで話をすることが多いです。

自分がどの種類の内容を話しがちなのかを自覚することで、ふだん、なにも意識せずに話しているときの自分の話が、聞き手にどのように聞こえているのかを客観視することができます。

そして、ストーリー重視の人はファクトを取り入れて話してみてほしいですし、ファクト重視の人はストーリーを語ることにトライしてみてほしいです。

あなたがどちらかを重視しているように、他者もそれぞれどちらかを重視しています。**どちらも語れるようになれば、聞き手に合わせて扱う情報を選べるようになり、いまよりもっと多くの人にあなたの話を届けられる**でしょう。

ここで補足しておきたいのは、これは相手によって話を捻じ曲げるということではないということです。あくまでも、自分というもののなかから、必要な切り口をどれだけ柔軟に見せられるかという点がポイントです。

相手に合わせて話すことはもちろん大切ですが、そのためにも、自分がどういう話をしがちなのか、自己認識を持つことが重要なのです。

先述のAirPods Proの例を読んで、ストーリー例とファクト例のどちらのほうが、商品を買いたい、使いたいと思ったでしょうか。その感覚が、あなたのタイプを割り出すヒントになるでしょう。

自分の性質を見極めたうえで、もともと語ることの少なかった語り方を習得し、自在に組み合わせられれば、たくさんの人にあなたの話を届けるための強力な武器となるはずです。

「その場に自分がいることの意味」を求められる時代

ストーリーとファクトの観点をしっかり身につけ、さらにそれらを組み合わせる力は、「自分の頭で考える」ことが叫ばれ、AIが台頭している今の時代にはとくに重要です。

なぜならそれは、**自分の意見をはっきり述べる「意見生成」の能力に直結する**からです。

ここでいう「意見」とは、会社の営業数字を見て事業の課題点を指摘すること、大学のサークルでイベントの企画を提案すること、業界ニュースを読んで専門家のポジションでコメントすることなど、幅広いシーンにおける発言を総称しています。

共通して重要な点は、**「その場に自分がいることの意味を見出す」**ことです。

そもそも人はなにか目的を持って行動するとき、まだ見えぬ正解を探しながら前に進んでいかなければなりません。

過去の膨大な事例を集め、最大公約数を弾き出すのはＡＩの得意分野ですが、正解のない道を進んでいくためには、人間の「意見」が欠かせません。

新しいプロジェクトを計画していくこと、チームの人間関係を保つこと、サークルでひとつのなにかを成し遂げること。なにがより良い状態かを意見し合いながら進めていかなければ、集団での生産的な行動は成り立ちません。

さまざまな状況を前に、自分はなにを思うのか、ロジックとしてどんな整理をしたのか、感情として、あるいは感覚的に重要だと思ったのはなんなのか。

これらを複合した**「あなたの切り口」を提示することで、聞き手に新しい示唆を与え、**

考え方の幅を広げることができ、物事を前に進めていくことができるのです。

マネージャーなど人を育てる立場にいる人にとっては、自らの発言ひとつでチームの推進力の指針をつくるきっかけになります。自分が所属する場で、居場所をつくるためにも重要です。オピニオンリーダーとして業界を牽引するポジショニングとなり、文章の執筆依頼やコメンテーターなどの仕事につながるケースも多いです。

意見は自分の「スタンス」の提示であり、意見があるから人は能動的に行動するものです。

ストーリーとファクトを上手に組み合わせられれば、聞き手を納得させる、あなただけの意見を生み出すことができるのです。

第5章

レトリック

聞き手を味方につける
“ちょっとした”ひとこと

「会話文」でn数を増やして説得力アップ

構成、ストーリーとファクトについて解説してきました。

どのような順番でどんな要素を話せばいいのか、理解を深めてもらえたことと思います。

この第5章では、「レトリック」について解説します。日本語では「修辞」といい、言葉選びや表現を多彩に、豊かに行うものです。

どれも、長めのスピーチやプレゼンはもちろん、会議での発言や議論などにも取り入れやすいものなので、ぜひ試してみてください。


さて、「話す」という行為はその性質上、基本的には自分の意志決定をもとに、自分の視点で語るものとなります。

ストーリーとファクトのバランス感、どんな情報を扱うかも含めて、基本的にはn＝1の考えをもとに話がなされるものです。ひとりの視点だけで繰り広げられる話には、不安もつきまとうでしょう。

話を立体的にして、「自分以外の視点が明らかに入っている」ということを上手に表す方法があります。

それが、**「会話文」**を挿入することです。

「会話文」とはおもに「他者の発言」を指します。

あなたの伝えたい内容を補強し肯定するために「他の人もこう言っていましたよ」と引用を行うのです。この手法を用いると、説得力が格段に上がります。

あなたの主張が「複数の意見」によって底上げされることになり、話を聞いてみようかな、と思わせる力が増すのです。

例えば私はよく、「話し方って学ぶとどうなるんですか？」と聞かれます。

立ち話などのときは、定量的なデータを見せることも、ビフォーアフターの動画を見せることもできません。そこで、

Good

ある経営者の方は「**サポートしてもらって総会をやって、15年経営してきてはじめて会社がまとまったと感じた**」と言ってくれました。

Good

人前で話すときに緊張で過呼吸になり倒れてしまったことがあるという受講者から、「**堂々と話す自信がついた**」と言ってもらえたんです。

このように、これまで私がいただいた言葉を添えていくのです。

そうすると、私の視点で語られていたn＝1の話が、n数が増えて立体的になります。

これをビジネスシーンに落とし込むなら、例えば商談で

Good

開発チームからも「**今回の製品はかなりの優れものになりました**」「**自信を持って送り出せる製品です**」と言われています！

と、会社組織として力を入れている商品なのだとアピールする、あるいは、メンバーに

フィードバックを行う場面で、

Good

他部署からも「佐藤さんは真面目に頑張っているね」という声が届いているよ。

と、直接の評価者ではない人の声も交えて激励する、などといった使い方が考えられます。

さらに会話文は、臨場感も高めます。他者の発言が入ることによって、話がリアルで身近なものになり、共感や、ときには感動すら生むこともできます。

また、セリフには自然と人の感情が宿るので、話し手自身、感情を込めて話すこともできます。少し声色を変えるなどできるとさらに効果的です。

通り一遍の機械的な言葉ではない、リアリティのあるコミュニケーションが実現できるでしょう。

ストーリーに「転換」を与える会話文の力

会話文は、自分の主張を裏付けるためだけではなく、ストーリーの起承転結を表現するうえでも活用できます。

先述した「n数が増えて話に臨場感がある」状態に加え、「誰かの〝あの〟言葉がきっかけで自分は変わった」という感動的なストーリーラインを描くのに効果的なのです。

小説を読んでいても、出来事そのものだけでなく、「誰かから言われたこの言葉」といった、人とのコミュニケーションによって気持ちの転換がある話も多いと思います。

私たちは「誰かの言葉」によって自分の思考や生き方を変えている。だからこそ、その言葉をうまく引用することができれば、状況はよりエモーショナルに伝わっていきます。

これをうまく活用しているのは、小林さやかさんです。彼女は書籍や映画が大ヒットとなった「ビリギャル」のモデルとして、講演や教育事業活動などを行っています。日本での活動を一時中断し、アメリカの大学院に行くことを決めたことをファンの前で報告するときのスピーチで、このような会話文の表現が使われました。

これまで7年間、ビリギャルストーリーで本当に伝えたいことを、ひとりでも多くの後輩たち、そして彼らの周りにいる大人に伝えたくて、必死で講演して回りました。そしたらね、ひとりの女の子が私にこうやって言ったの。**「さやかちゃんはお母さんと坪田先生がいてくれて良かったですね」**って。**「私には、そういう人が誰もいないんです」**と。**「こうやって、頑張りたいけど頑張れない人が世の中にたくさんいることを忘れないでほしい」**と、その子が私に言ったんです。私、その言葉にずっとちょっと薄々感じていたことを、はっきり自覚させられて。「あぁ、私ってただただラッキーだったんだな」っていうことにすごく気づかされたんですね。

「さやかちゃんは〜」からの一連の言葉は、一生懸命活動してきた小林さんにとって、とても衝撃的なものだったでしょう。その言葉を、受け取ったときの感情のまま表現することで、聞き手側は引き込まれていくのです。

このように、会話文には、話を転換させる効果もあります。

あなたが、日常の中で人と話すことは、すべて話の説得力を増す材料になります。話の内容、相手の言葉を記憶して、自分の糧としてください。

名言を「アップグレード」して主張を鮮明に

「引用」という観点からは、会話文以外にも、歴史的格言、名言、故事成語、ことわざ、慣用句、四字熟語なども候補に挙がります。

第三者の視点や意見によって主張の強度を増すことができるのは「会話文」と同様です。

歴史的な偉人の言葉や故事成語など、すでに人類が教訓として大切にしてきた言葉が入ればなおさら、「それと同じくらいの重要性を持って行動を起こそうとしているんだ」という強固な説得力につながります。

これが巧みだったのが、小泉純一郎元首相でした。

過ちを認める。そして「**過ちを改むるに憚ること勿れ**」って論語にあるじゃないですか。この言葉は論語にあるんですけど今でも通用する。私は考えが変わった。

「**少年よ、大志を抱け**」という言葉があるでしょう。わたしは年寄りになったけれども大志を抱いていいのです。

いずれも、故事成語や名言を引用したうえで、きちんとそのうえに自分の言葉を乗せています。

特筆すべきは、クラーク博士の言葉「少年よ、大志を抱け」を引用したふたつめです。首相在任時は原発推進派だった小泉さんは今、当時とは正反対の「原発ゼロ」を強く訴えています。その〝転向〟を説明する方法として「歳を取ってからでも大志を抱いていい」と、クラーク博士の名言に持論を重ねて上書きしたのです。

「名言や故事成語を引用してその意味を説明する」というだけでも十分に、自分の言いたいことの解説はできます。

そこに、ひとつアップグレードして「彼はこう言ったけど自分はさらにこう思う」まで話す、つまり**「派生語をつくる」というのは、非常に巧みな表現**です。

名言や故事成語をうまく土台にし、新語をつくることで、あなたの主張をより鮮明に伝えることができます。

Good

「一石二鳥」という言葉があります。ですが、私は今回のプロジェクトを通して、「一石十鳥」できると考えているのです。

といったように、四字熟語や慣用句に含まれる数字の数を増やすのは、初級者でも試しやすい手法です。

キング牧師の「あの名言」以外を引用したティム・クック

一方、引用する言葉が一般的に知名度の低いものであれば、新語をつくろうと活用せず、むしろそのまま用いるほうがいいでしょう。

例えば、ネルソン・マンデラの言葉に「なにごとも、成し遂げるまでは不可能に見える」というものがあります。また、アルベルト・アインシュタインは「成功者になろうとするな。価値ある者になろうとせよ」と言いました。

いずれも人物としては著名ですが、言葉はそれほど知られていないため、そこにひと工夫を加える必要はありません。シンプルに自分の主張に添えるだけでも効果を発揮します。

アップルのCEOであるティム・クックはマサチューセッツ工科大学の卒業式のスピーチの締めで、このように言いました。

> 次のことをいつも思い出してください。これ以上に強力な考えはありません。キング

牧師の言葉を借りると、「**すべての人の人生は関わり合っていて、運命という一枚の衣にくるまっている**」のです。皆さんが常にこの考えを念頭に置き、テクノロジーだけでなくその恩恵を受ける人間のことも考え、一部の人ではなくすべての人のために、最高のものを作り、最高のものを捧げ、最善を尽くすなら、人類は今日、大いに希望を持っていいでしょう。

キング牧師といえば「I have a dream.(私には夢がある)」が有名ですが、別の言葉を引っ張ってきたうえで、自分の言いたいことをうまく主張しています。

この手法は、**聞き手にとってはその言葉を知ることができるのも価値**になります。引用元の発言者がどのくらい知られているのか。どれだけ〝名言〟として知られているのか。ここでも「相手ありき」を忘れずに検討してみてください。

なお、大前提として、引用する言葉はひとつの話につきひとつをおすすめします。あまりたくさんの引用をすると、なんの主張にその引用をかけているのか、聞き手が忘れてしまいます。

聞き手が覚えやすく自然と入ってくる程度、基本的には1回にひとつの引用にするようにしましょう。

興味がなさそうな聞き手の「顔を上げさせる」技術

あなたがなにかについて話すとき、必ずしも聞き手全員が話に興味を持っているわけではありません。スピーチやプレゼンなど対複数でも、インタビューや面接など1対1でも同様です。

とくに、営業を受ける側、会社や学校の規則に沿って研修を受ける側、聞き手の意志と反して受動的に情報を受け取らなければならないとき、興味を持てない人も多いはずです。

そして、そのような場面で自分が話し手側にいて、つらい経験をしたことがある人も多いのではないでしょうか。「ああ、きっとこの人は私の話、まったく聞いてないんだろうな」「つまらなそうにしているな」というような気持ちを感じながら話し続けないといけないのは、苦しいことですよね。

聞き手が話し手に興味がないとき、話を聞いても価値がないと思っているときに効果的な伝え方があります。

それが、「**相手の気持ちの代弁**」です。

「相手の気持ちの代弁」とはその名の通り、聞き手が思っているであろう、心の中の素直な感情、人間味のある言葉を先回りして言ってしまう手法です。

例えば会社の研修なら「『この研修のテーマは今さら勉強しなくてもわかっているんだよなぁ』と思いながら私の話をお聞きになっている方もいらっしゃるかもしれません」、営業先なら「『他の商品と大きく変わらないのでは』とお感じかもしれません」など、パンチのある言葉を使うのです。

資料に目を落としたまま顔を上げない、視線がずっとPC画面を向いている、など、聞き手の無関心が態度に表れていることに気づいたら、このような刺激の強い言葉を投げかけてみましょう。

いわば、**目の前で退屈そうにしているその人の「心の中」に向かって話しかけるイメージ**です。聞き手が考えていることと一言一句は一致しなくても、ハッとさせ、注意を引くには十分でしょう。

ただしここで相手の気持ちの代弁をするだけでは、聞き手への嫌がらせになってしまいます。

そこで、「**話す目的やゴールの提示**」を組み合わせましょう。

例えば、社内の研修担当者がやる気のない受講者に向けて話すときは、

Good

【相手の気持ちの代弁】
「**この研修のテーマは今さら勉強しなくてもわかっているんだよなぁ**」と思いながら私の話をお聞きになっている方もいらっしゃるかもしれません。今回は本研修を全社に導入しているのですが、他部署のチームリーダーたちからもご好評をいただき、効果も実感いただいております。目新しい取り組みではありますが、【話す目的やゴールの提示】**みなさまに会社の中でさらにご活躍いただける**と自負しているプログラムですので、最後まで、前向きにお取り組みいただきたく思います。

例えば、乗り気でない顧客に向けて営業活動するときは、

Good

【相手の気持ちの代弁】
「**他の商品と大きく変わらないのでは**」とお感じかもしれませんので、今回は他の商品との違いについても詳しく解説いたします。【話す目的やゴールの提示】**それぞれのメリットもデメリットもより解像度が高くなるように、**丁寧にご説明してまいります。

などという言い方ができます。

アウェイの状況だからこそ、それをうまく利用して覚悟や意志を示し、自分が話すことの意味を大きく増幅させられるのです。

自分と聞き手の属性から事前に反応を予想できる場合は、こうしたカードをある程度準備しておけるといいでしょう。

話し言葉は、聞き手が多ければ多いほど一方向になりやすい。

それでも、コミュニケーションであることを忘れないでください。

興味がない人に興味を持ってもらうために、その人の心の奥底を見抜き、声をかけてあげてください。

自分の心の内に寄り添ってくれる相手に、聞き手は小さな信頼を感じます。

「リアルタイム要素」で〝場の価値〟を高める

スピーチ、プレゼン、面接、商談などでは、状況によっては一方的に話し続ける時間が生まれる場面もあると思います。

そこであまりうまく話ができていない場合、聞き手側は、決まりきった文言をただ聞き続けるような感覚で、疎外感を抱いてしまうことがあります。

さまざまな解決方法のなかから、「今」「このとき」などの言葉を使って、「**リアルタイム要素**」を入れることをご紹介します。

話をするうえで重要なことのひとつは、紛れもない「今このとき」を話し手と聞き手が「共有している」、つまり、「私とあなたはつながっている」という感覚です。

そのために、動画で話している様子を見ているわけではなく、ＳＮＳでテキストを読んでコミュニケーションしているわけでもなく、「その場で話を共有している」ことをより表現します。

例えば、野球部のキャプテンがチームに向けて行うスピーチ。

Bad

チームとしてより一層強くなれるように、明日からの練習も頑張っていきましょう！

Good

僕たちはいま、この瞬間、甲子園優勝という目標を掲げました。チームとしてより一層強くなれるように、明日からの練習も頑張っていきましょう！

このふたつの例を見ると、前者よりも後者のほうが、この場にいる人たちと今起きた事象を分かち合い、コミュニケーションを取りに行こうとしている意志が感じられます。

その日、その場所でしか話せない内容なのだと示すことで、話に希少性が生まれ、聞き手の聴衆の集中力を集めることもできます。

「私には夢がある」というワードがとてつもなく有名なキング牧師のスピーチには、じつはリアルタイムでの投げかけが多用されています。

今日私は、米国史の中で、自由を求める最も偉大なデモとして歴史に残ることになるこの集会に、皆さんと共に参加できることを嬉しく思う。

100年前、ある偉大な米国民が、奴隷解放宣言に署名した。**今われわれは、その人を象徴する坐像の前に立っている。**

黒人は依然として米国社会の片隅で惨めな暮らしを送り、自国にいながら、まるで亡命者のような生活を送っている。そこで**私たちは今日、この恥ずべき状況を劇的に訴えるために、ここに集まったのである。**

「今日」「今」といったワードが目立ちますね。

今、この瞬間を切り取る語りには、思い出を呼び起こされるような、そんな効果があるのです。

リアルタイム性があると、その場に適した言葉を、本人が意識的に選んで話しているという配慮が伝わってきます。

今リアルタイムで話している内容は、動画など過去に存在していたものではなく、この瞬間に聞く意味があるものなのだ、ということもアピールできます。

聞き手の満足感が、グッと高まるのです。

第3部

「音声・動作」の戦略

「音声・動作」の戦略

発声 …………… 呼吸の仕組みを理解する
腹式呼吸で大きな声を出す
声の大小を使い分けて心情を表現する
一定の速度で話せるようになる
相手と状況に合わせて話速を決める
話のポイントで話速を変える
声の高低の振り幅を持つ
重要な言葉は声の高さを戻す

沈黙 …………… 適切な間（ま）を確保する
フィラーを認識し、なくす

身体表現 ……… 重心・手足の位置を安定させる
表情・視線を管理する
立ち位置を工夫する
ジェスチャーで多彩に表現する

第3部では、言葉を発するときに使う
「音声」と「動作」の戦略を解説していきます。
音声と動作を工夫できると、
情熱やわかりやすさをより表現できます。
堂々とはっきりと伝えることができます。
一方で、うまくできていないと、
自信がない、やる気がない、
わかりにくい、伝える気がない、といった
負の印象を持たれやすい分野でもあります。
たくさんの人が共通して悩むポイントですが、
しっかりと学ぶことができた人からは
多くの良い変化が聞こえてきます。
一つひとつ着実に進めていきましょう。

第6章

発声

人を惹きつける「声」の磨き方

自分の思う「3倍」やっていい――音声・動作の心構え

いよいよここから、音声と動作の戦略に入っていきます。

話し言葉は音声によって相手に届きます。また、動作によって強調されて伝わります。

これらの表現の技術を身につけている人は、言葉に心を宿すことができ、気持ちを上手に伝えられます。

逆に、うまくできなければそのぶん損もしやすい分野。具体的には、しどろもどろに見えたり、聞き取りにくかったり、自信がなさそうと聞き手に思われたりしてしまいます。

私はトレーナーとして多くの人と関わる中で、**音声と動作ほど「自分の認識」と「他者からの印象」にギャップがあるものは他にない**と感じます。

トレーニングの当初、多くの受講者が「こんなに大きな声を出したら迷惑じゃないですか?」「こんなに間を空けても大丈夫なんですか?」と口を揃えます。

ところが、いざ録音・録画した自分の声や話す様子を確認すると「意外と普通ですね。

これくらい大胆にやったほうがいいんですね」とみなさんが思い直すのです。

私がいつも伝えているのは、**「音声と動作の意識は自分の思う3倍以上やって初めて、聞き手には普通に聞こえる」**ということです。

テレビ番組やYouTubeなどで、画面越しになにげなく見聞きしているプロフェッショナルのリアクションをよく観察してみると、実際はかなり声の高さや表情が変化しています。それくらい、私たちは相手の大げさなリアクションや表現を、ふつうにわかりやすいものとして受け取っているのです。

この自己と他者が感じる感覚のギャップを適切に埋めて、大胆に表現できるようになれば、あなたの話し方は見違えるほどに変わります。

「抑揚」を分解して考える

「話す」という行為の土台となるのが「音声」です。

そして、音声の質を考えるうえで欠かせない存在が「抑揚」です。

抑揚とは声の調子を上げたり下げたりすること、勢いを急に変えたりすることなどを指します。堂々とした印象を与えるのか、なよなよして見えるのか、すべては抑揚が左右すると言っても過言ではありません。

ただ、この抑揚という言葉は、曖昧に扱われがちです。

話し方を教える一般的なスクールでも、抑揚という言葉はもちろん使われており、話が平坦でわかりづらいときや、感情がこもっていないときに「抑揚を変化させましょう」というフィードバックがされています。

しかし、**抑揚とひとことで言っても、その構成要素はひとつではありません。**

それなのに、たんに「抑揚を変えましょう」とフィードバックしてしまうと、声の高低なのか、大小なのか、または話す速度なのか、具体的になにをすれば課題を解決できるのかがわからない、という問題が起きてしまいます。これでは、本当の意味での課題解決ができません。

そこで本書では**声の技術を習得するために、「抑揚」の構成要素を分解**して解説します。「抑揚」を細かな要素に分解して理解することができれば、具体的にどこに注意を向け改善すべきか意識できるからです。
カエカでは「抑揚」を5つの要素に分解しています。

「声の大小」
「声のスピード」
「声の高低」
「間（ま）の確保」
「フィラー（「えー」「あのー」など無意識に出てしまう言葉）の削減」

です。本書では前者3つを本章で、後者2つを次章に分類して解説します。

声のボリュームは「デフォルト：大」に

まず大切なのは、「声の大小」です。
基礎的ではありますが、まずはこのポイントをしっかり使いこなせるようにならなければば、表現が磨かれません。声という音として聞き手に届ける戦略を立てるうえで、必ず初めに目を通してほしい〝要〟の観点になります。

声を大きく出すことができると、全体として堂々とした印象を与えることができ、聞き手側からも発話が聞き取りやすいと認識されます。

一方で小さな声は、秘密を共有したり、周囲に大きく聞こえないように配慮したり、優しく語る印象を与えたりすることができます。

目的の達成を目指す話においては、どちらかというと**声を大きくできることのほうが好まれ、価値があります**。

初めて話し方トレーニングを受ける人のほとんどが、正しい声の出し方や響かせ方がわかっておらず、小さな声にとどまってしまっています。

演劇などの表現経験がない限り、声の大きさをどこまで出していいのか限度を理解しておらず、なかなか大きな声を出せない人が多いのです。

声のボリュームのデフォルトが大きくなるだけでも、わかりやすさは飛躍的に変わります。

声を大きくするシンプルなコツは、「**声を出すときに、お腹をへこませる**」こと。

そうすると、力まずにラクに大きな声を出すことができます。

理由をご説明しましょう。

胸式呼吸の弱点と限界

私たちは口や鼻から空気を肺に取り込み、呼吸しています。

そのとき、肺が勝手に動いているのではなく、肺を取り巻く空間である「胸郭」という部位のまわりについている筋肉に影響を受けて肺が動いています。筋肉が動いて胸郭が広がれば肺も広がり、筋肉により胸郭が縮まれば肺も縮みます。

肺を実際に動かしている筋肉を総称して「呼吸筋」と呼び、細かく分類すると20以上もの種類があると言われています。

この呼吸筋の中でどのあたりの部位を使って呼吸をするかによって、呼吸の仕方が変わります。

これが、声の大きさに関連するのです。

ここでキーワードになるのが、「胸式呼吸」と「腹式呼吸」です。

本書では腹式呼吸を推奨しますが、その重要性を理解してもらうためにも、まずは胸式呼吸から解説します。

胸式呼吸では、呼吸筋の一種で肋骨の間をつなぐ肋間筋が内側に動くことで肺が収縮されて息が出て、声となります。体全体としては、胸のあたりが上下する動きになります。

声の出し方を学んだことがないほとんどの人は、この呼吸を通して声を出しています。

しかし、**胸式呼吸では、一回に吐き出せる息の量に限りがあり、大きな声が出にくくなります。胸式呼吸の状態で無理して大きな声を出し続けると、喉に力が入り、負担がかかってしまうこともあります。**

政治家がよく選挙最終日の演説で「声が枯れてしまい申し訳ございません！」と語っていますが、これは胸式呼吸を続けた結果です。

胸式呼吸と腹式呼吸の違い

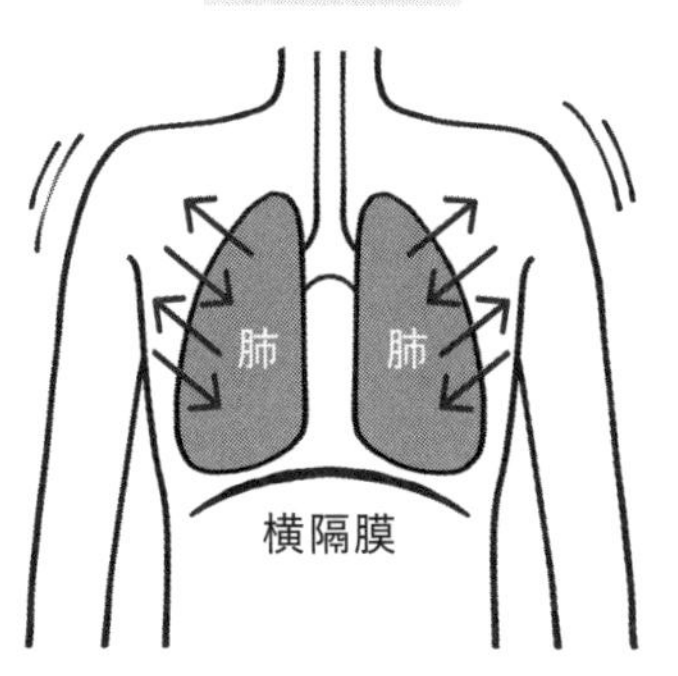

肋骨の間をつなぐ肋間筋が動き、肺が収縮する。胸が反り、肩に力が入りがちになる

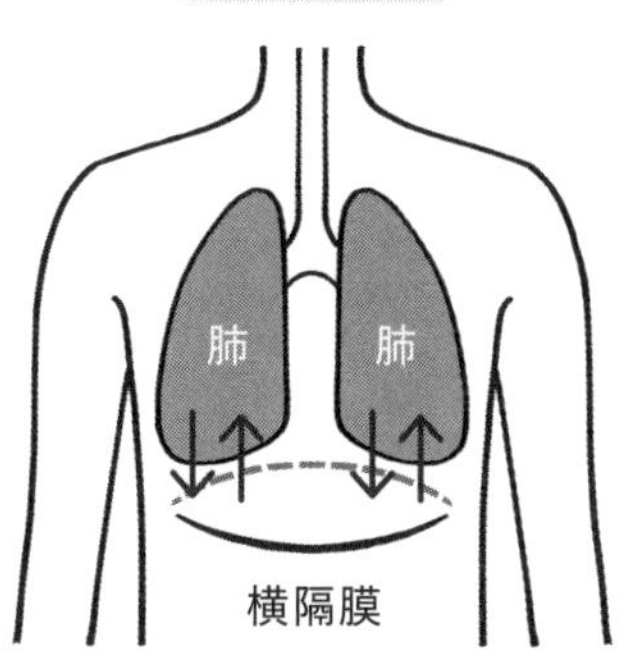

みぞおちのあたりにある横隔膜が上下に動き、肺が収縮する。体に余計な力が入らず、吐き出せる息の量が多い

腹式呼吸で使う〝最強の呼吸筋〟

そこでおすすめしたいのが「腹式呼吸」です。

腹式呼吸は、呼吸筋の中でも「横隔膜」という部位を使って呼吸を行います。横隔膜は体のみぞおちの部分にある、三日月状の薄い膜です。

じつは、**横隔膜は20種類以上あると言われている呼吸筋の中でも、もっとも強い力を持っている部位**なのです。

そのため、横隔膜という筋肉を生かす**腹式呼吸は、胸式呼吸と比較して3倍程度の息を一気に吐き出すことができる**といいます。

息を多く吐き出せるということは、それだけ大きな声を出せるということです。

また、横隔膜は肺の下に位置している筋肉であるため、肩や胸のあたりに負担がほとんどかからず、喉や肩に力が入ってしまうことも防げます。

つまり、**腹式呼吸では吐き出せる息の量が増え、また、不必要なところを力ませることなく大きな声を出すことができる**のです。


左ページの図をご覧ください。

腹式呼吸をするときには、図のような動きを意識します。

お腹まわりの筋肉に力を入れるようにして、自分のお腹を意識的にへこませます。そうすると、臓器が体の中に押し戻されます。その動きに沿って、下方向に動いていた横隔膜も圧迫されてまた上方向に動きます。

その動きが胸郭全体を押し、結果的に胸郭の中に入っている肺の息を一気に吐き出す、という仕組みになっています。

腹式呼吸の仕組み

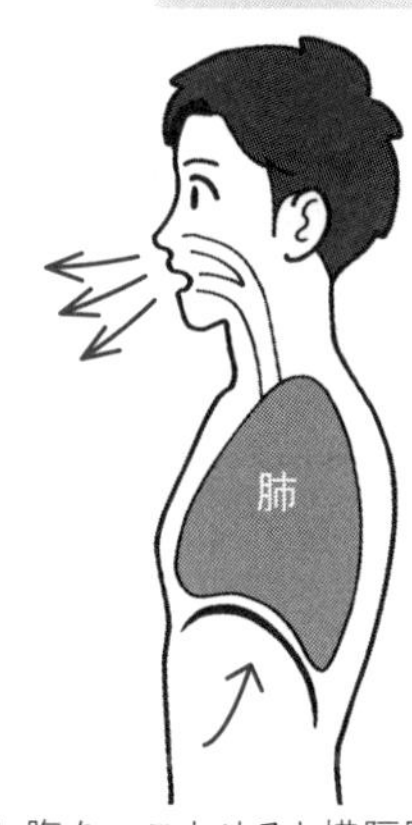

お腹をへこませると横隔膜が上方向に動き、肺から息を一気に吐き出せる

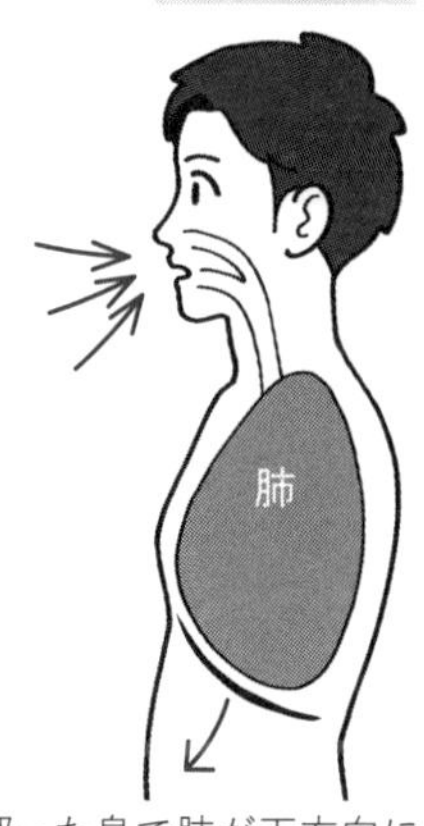

吸った息で肺が下方向に膨らみ、横隔膜も下に動いてお腹に張りが出る

お腹をへこませる意識が横隔膜を動かす

横隔膜を動かして腹式呼吸をするために、話し手が自発的に取り組めることはシンプルにひとつです。

それが**「声を出すときに、お腹をへこませる」なのです。**

ただ、「横隔膜を動かそう」と意識すると難しいので、「声を出すときにお腹をへこませて息を吐くこと」で、自然と横隔膜が動いて腹式呼吸に近づくことができる、というわけです。

巷で「お腹から声を出しましょう」と言われているのは、そのためです。この言葉のみが独り歩きして、なぜ声が大きくなるのか、という原理を理解していない人は多いです。
しっかりと原理を知りながら、習得していくことが重要です。

腹式呼吸は「寝て学べ」

腹式呼吸は、大きな声を出すという点はもちろん、喉に負担をかけず伸びやかな声を出せるという点でも優れています。

ぜひ身につけてほしい呼吸法ですので、より詳細なトレーニング法を述べていきます。

まずはまっすぐ立って、口から20センチメートルほど離れた位置に片手を構えます。手を温めるイメージで「ハー」と息を吐きます。

このとき、ため息をつくように息を吐き出すと、自然とお腹がへこんでいることを確認できるはずです。もう片方の手でお腹に手をあててみるとへこみ具合を確認することができます。

これが腹式呼吸をしている状態です。

次に、もう少し勢いをつけて息を吐ききります。

具体的には、先ほどのため息に勢いをつけるイメージで、「ハッ」と息だけの音で大きく吐き出します。

息を吐くときにお腹が自然に動いているかどうかを確認してください。

これも、できてきたら、だんだんと声を乗せます。「ハッ」と同じ息の出し方で、「あっ」と言ってみましょう。息から声に変えたときに、多くの人はうまくお腹が動かせずつまずきます。うまくできない場合は、もういちど、ため息の手順に戻って確認することをおすすめします。

さらにこの勢いで出すことができたら、こんどは「あー」と長く声を出します。息が続く限り長く出しきることが望ましいです。

そこまでクリアできたら、最後に複数の文字を発話します。「あいうえお」など、文字数を増やしたときにもお腹が同じように自然に動いているかを確認しましょう。

このトレーニングは立った状態でも行えますが、初めて取り組むときはヨガマットなど

腹式呼吸のトレーニング

ハッ

膝を立てる

手はおへその
前で組む

後頭部をマットにつけ、
顔は正面を向く

ヨガマットなどに仰向けになり、顔は正面に向ける。おへそぐらいの位置で手を組み、膝を立てる。「ハッ」と息を吐き、お腹が自然に動いているか確認する

に仰向けになって実践することをおすすめします。

そうすると肩の部分に床への重力がかかって動きにくくなるので、胸式呼吸になってしまうことを防げます。また、お腹も自然に動かしやすくなります。

この状態で腹式呼吸の感覚をつかめたら、まったく同じ流れと動きを立った状態でできるかどうか、挑戦してみてください。

声の大小を使い分けると表現の幅が広がる

基本的には、声は大きいほうが聞き取りやすさの面からは重要で、大きさを維持できる

ことにいちばんの目標を置くべきです。

つねに大きな声を出せるようになった人が次に取り組める応用編として、声の大小を使い分けて気持ちを表現するという方法があります。

私はずっと弁論競技に取り組んでいて、今でも大会に出場しています。弁論の中で私は、言いたいことや雰囲気に合わせて声の大小を変える工夫をしています。

大きな声で話すのは、話の中でもとくに核となる転換のポイントです。「××という考え方が間違っていると思うのです」といった強く主張したいところには、大きな声が向いています。力強い印象となり、コアメッセージや自分の感情が際立つからです。

対して、小さな声で話すのは、心の底から信じる言葉を吐露するときです。「私は、この仕事を誇りに思っています」「あなたと手を取り合いながら前に進んでいきたいのです」などです。言葉の響きを噛み締めるかのように小さな声ではっきりと発音します。複雑な心境や寂しさ、落ち着きを持って取り組みたいという決意など、小さい声なりの意志を示すこともできます。

この緩急を使い分けると、些細な心情の変化を表現できます。

また、細かなテクニックですが、私は自分の声の大きさに合わせてマイクとの距離を調整します。大きい声を出すと決断したときはマイクから少し離れて発声します。小さい声で話すときはマイクに近づきます。

マイクとの付き合い方も、一考の余地があるのです。

声の大小を操る手法は応用となります。声の大きさをマスターしていない中でこの表現方法を行うと、小さい声が聞き取れなくなることがあります。

原則として、**声を大きく出せるということが第一目標**となり、そのうえで、声の大小を使い分けることができると、表現の幅はさらに広がります。

まずは一定の速度で話し続けられる技術を

続いて、抑揚の要素分解「声のスピード」について解説します。

適切なスピードで話ができるようになると、伝えたいことがわかりやすく明瞭に伝わります。自分の話に集中してもらい、心地よく聞いてもらうためにもとても重要です。私のもとにも声のスピードにまつわる悩みはよく寄せられ、とくに「早口を直したい」という要望が多いです。

そもそも、スピードは絶対的な正解が決まっているわけではありません。自己認識と訓練でいくらでも話速は調整できるようになります。

みなさんは、楽器を演奏したことはあるでしょうか。

どんな楽器でも、最初は基礎的な練習から始めます。「音階練習」といって、一つひとつの音を一定の間隔で鳴らし、ときにはメトロノームも使いながら、リズムがブレないように音を出す訓練をします。

その基礎ができるようになったら、テンポのはやい曲やスローな曲の練習に移り、次第に、一曲の中でテンポが変わるような曲にも取り組んでいきます。

声のスピードの訓練についても同じです。**時と場合によって自由自在にはやさを操ったり工夫したりしたければ、まずは一定の速度で話す筋肉をつけなければなりません。**

NHKのアナウンサーの発話は癖が少なく、ある程度一定の速度で話しています。もう少し分解すると、「**ひらがな1文字1文字を、同じリズムで等間隔に発している**」状態。これが、目指すべき「基礎」です。

これは簡単なようでいて、意外とできていない人もいます。

例えば、テキストを読むときに、文頭はゆっくり入るが、文末になるにつれてだんだんと早口になってしまう人。無意識にぶつ切り状態になり、テンポが安定しない人。

経験上、おおよそ20人に1人くらいがここで引っ掛かります。

自覚のある人は、NHKアナウンサーのニュースをシャドーイングし、一定の速度でついていく練習をすると、速度の保ち方を理解することができます。

「正しいはやさ」は存在しない

一音、一音の粒が揃えられるようになれば、こんどは使い分けに移ります。

カエカではスピードを3つの呼び名で分類し、状況に応じて使い分けることが大切だと伝えています。単純にはやいことが悪、ゆっくりなことが悪、といった決め方はしていません。

まずは中間の話速「**一定ふつう**」。もっともスタンダードなはやさです。

次に「**一定ゆっくり**」です。聞き手に馴染みの薄い内容を丁寧に伝えたいときは、ゆっくり話すのが効果的です。全体的に優しく物腰が柔らかく、堂々とした印象になります。

そして「**一定はやい**」話速。こちらは勢いを示したいときや、聞き手側が迅速に情報を求めている場合に使うと効果的です。全体的に頭の回転がはやく、賢い印象をもたらします。

ではそもそも、この一般的にふつう、はやい、ゆっくりという指標をどのように理解すればいいのでしょうか。

その感覚を学ぶうえで、モーラ数の考え方を援用します。第2部の第1章で「コアメッセージ」をつくる際にも紹介しましたが、簡単におさらいしましょう。

モーラは音の長さを数える際の単位で、基本的にはひらがなの数を数え、漢字も読み仮名の発音でカウントします。例えば、「言葉」は「こ・と・ば」で3モーラ、「トレーニング」は「と・れ・ー・に・ん・ぐ」で6モーラ、「チャレンジ」は「ちゃ・れ・ん・じ」で4モーラになります。

カエカでは、「kaeka score」という口頭試験を行っています。与えられたテキストを、人前に立ったつもりでパソコンに向かって話すと、抑揚のそれぞれの要素を計測・分析できる仕組みです。

受験者全体の話速を分析すると、1分間に発せられたモーラ数の平均値は327でした。この試験はカエカのトレーニングを受ける前に行いますので、このスピードが、一般的な「ふつう」のはやさだと言えます。

次ページに掲載したのは、試験でも用いているスクリプトです。文章の途中途中に、その時点までのモーラ数を付記しています。

この文章を1分間で音読してみてください。このとき、部分的に早口になったりしないよう、一定のスピードで読むことを心がけましょう。

「一定ふつう／ここまで」のマークがついているところまでをちょうど1分間で話しきれたら、統計的にふつうのはやさとなります。

そして、カエカのデータ分析によれば、はやい速度の場合は398モーラ、ゆっくりな場合は257モーラが基準になります。それぞれ、「一定はやい／ここまで」「一定ゆっくり／ここまで」と書いてあるところまで、1分で音読してみてください。

ちょうど1分で話しきろうと思うと、難しいと感じた点があるかと思います。

「一定はやい」に合わせるのが難しかった人は、ふだんはゆっくりめに話している可能性が高く、「一定ゆっくり」に合わせるのが難しかった人は、早口で話している可能性が高いです。

まずは自分の中で、どれが実践しやすかったか、そうでなかったかなど、感覚として気

声のスピード計測のスクリプト

下記の文章を、一定のスピードで1分間音読する。1分経ったときにどこまで読み終えていたかで、自分の話すスピードが一般的にはやいのか遅いのかがわかる

　そのころ、東京中の町という町、家という家では、ふたり以上の人が顔をあわせさえすれば、まるでお天気のあいさつでもするように、怪人「二十面相」のうわさをしていました。

「二十面相」というの(100)は、毎日毎日、新聞記事をにぎわしている、ふしぎな盗賊のあだ名です。その賊は二十のまったくちがった顔を持っているといわれていました。つまり、変装がとびきりじょうずなのです。

　どんなに明るい(200)場所で、どんなに近よってながめても、少しも変装とはわからない、まるでちがった人に見えるのだそうです。老人にも若者にも、富豪にも乞食にも、学者にも無頼漢にも、いや、女にさえも、まったくその人(300)になりきってしまうことができるといいます。

一定ゆっくり・ここまで▲

　では、その賊のほんとうの年はいくつで、どんな顔をしているのかというと、それは、だれひとり見たことがありません。二十種もの顔を持っているけれど、そのうちの、どれがほんとうの顔なのだか、だれも知らない。いや、賊自身で(400)も、ほんとうの顔をわすれてしまっているのかもしれません。それほど、たえずちがった顔、ちがった姿で、人の前にあらわれるのです。

一定ふつう・ここまで▲

一定はやい・ここまで▲

※「一定ゆっくり」は「老人にも若者にも～」の「わ」まで。「一定ふつう」は「では、その賊の～」の「く」まで。「一定はやい」は「そのうちの、どれが～」の「ど」まで。カッコ内の数字はその時点のモーラ数を示す

づくことが重要です。

セルフトレーニングの方法としては、まずは例文を用いての朗読などで、意図したはやさで読めるようになっていき、最終的にそのはやさを意識しながら、自分の言葉で話してみるといいでしょう。

「一定スピード」は相手と状況に合わせて

適切なスピードは、聞き手の特性と状況に依存します。

早口で話す人は、話し相手に対して頭の回転のはやさや情報の量を求めていることがしばしば。そんな人にはこちらも早口で話すと、心地よい時間を過ごした気分になってもらえます。

ゆっくりとした口調で話す人は、コミュニケーションに丁寧さを求めているため、自分もゆっくりと話すと効果的です。

ビジネスシーンでいえば、業界ごとの特徴もあるでしょう。自分がふだん接している業界、クライアントが早口傾向にあるのか、ゆっくり口調傾向にあるのかを分解してみるだけでも、理解が大きく進みます。

どちらかが一方的に長い時間話す、つまりはスピーチやプレゼンなどの場合は、**対象者、状況、発表場所に合わせてスピードを変化させられると効果的**です。

例えば、発表を聞いている人数が多い場合は、そのぶんさまざまなバックグラウンドの人がいるため、やや遅めに話して全員が話についていけるようにすることをおすすめします。

自分がはやいほうが得意だから早くていい、ゆっくりが得意だからゆっくりに依存する、というような状態だと、状況によってはあなたの話を受け取れない聞き手もいるでしょう。多くの人にあなたの話を伝えたいならば、３つの段階で声のスピードを使い分けられることを目指してください。

突然の0.8倍速で圧倒する「強調ゆっくり」

ここまで解説してきた「一定の速度で話す」というのは、基礎的な技術として重要なものです。

そのうえでの応用スキルとして、ある特定の状況で急にゆっくりにしたり、急にはやく話したりする手法があります。

名付けて「**強調ゆっくり**」と「**躍動はやく**」です。それぞれの効果について解説します。

名前、重要事項、数字など、話の中には強調するべきポイントがあります。

その部分のみをゆっくりと話すことを「強調ゆっくり」と称します。

例えば、「今日伝えたいことは継続の大切さです」という文章があるとします。ここで訴えたいのはもちろん、「継続の大切さ」ですよね。

この文章をすべてひらがなにすると

「きょうつたえたいことは、けいぞくのたいせつさです」

となります。これを

Good

きょうつたえたいことは、けーいーぞーくーのーたーいーせーつーさです

というように、強調したい箇所のひらがなのあいだを一つひとつ広げるイメージで発話します。実際に声に出してみるとより理解しやすいと思います。

これを行うと、キーワードの聞こえ方が劇的に変わります。話が上手な人は無意識に行えていることも多いポイントです。

「強調ゆっくり」にする箇所は、あまり多すぎては効果がありません。話の中でもとくに大切で、ここは押さえてほしい、というポイントに絞って適用しましょう。聞き手に話のどこを記憶してもらいたいか、最終目的から逆算して適切な回数を検討できるとベストです。

「強調ゆっくり」は、あらゆる場面で有効活用ができ、場所もほとんど選ばず、実用的な手法と言えます。

「強調ゆっくり」トレーニングのスクリプト

一定のスピードで音読しながら、青字の部分のみを0.8倍速で話す

みなさんこんにちは、××××（名前）です。本日は、株式会社カエカが独自のノウハウと指標を基に作成した、話す力の強みと課題を見つける30分の口頭診断「**kaeka score**」についてご紹介します。これまで定量的に診断することが難しかった「話す力」について、3年間の受講者様のデータを元に、独自の指標を生み出し**14要素**に分解しました。「kaeka score」ではそのうち**8要素**について、AIと話し方の専門家による採点を融合させた採点方法により、分析結果を抽出します。どなたでも1回、**¥5,500**で受験可能です。

ページ上部に営業のトークスクリプトを用意しました。ぜひ、青字になっているところだけ、少し溜める意識を持ち、0.8倍速で話してみてください。

躍動感を生む上級テクニック「躍動はやく」

部分的に話速を変える技術のうち、「強調ゆっくり」は重要かつ使いやすいものです。それを習得できたら、「躍動はやく」という手法にも挑戦しましょう。

これは、部分的に急にはやく話すことで、強い思いを表現したり、いろんな効果を羅列して盛りだくさんな印象を持たせたりしたいときに役に立つスキルです。

次のような文章があったとします。

Good

話し方の戦略を学ぶことができれば、**自分の夢を語ることができ、仲間を見つけることができ、未来を切り拓くことができる。**つまり、人生が前向きになります。

この例文で伝えたいのは、一つひとつの「良いこと」そのものではなく、あくまで「複数の効果がある」ということです。

このとき、例文で青文字になっている箇所をテンポよく話すと、「いくつもある」ことが強調でき、話に躍動感が生まれます。

ただ、私の個人的な体感ではとても難易度の高い技術なので、まずは「強調ゆっくり」から習得していきましょう。

このように、話速は「一定ふつう」「一定ゆっくり」「一定はやい」「強調ゆっくり」「躍動はやく」とさまざまな効果について解説しました。

言うまでもなく重要なのは、聞き手が理解しやすく、記憶に残るような話速の設定です。

掲載したスクリプトも参考にしながら、ぜひ試してみてください。

「声の高低」で情熱と真剣さを示す

抑揚を構成する要素、続いては「声の高低」です。

声の高低を意識して発声することができると、自分の気持ちを豊かに表すことができ、表現の幅が広がります。

また、強調したい箇所なども的確に伝わりやすくなり、話そのものも内容が整理されて聞こえてきます。

つまり、声の高低は情熱とわかりやすさの両方につながるポイントなのです。

カエカの受講者のなかには、かつて話し方について他人から指摘を受けるも、どう直せばいいかわからず悩んできたという人もとても多いです。

一例は、覇気が感じられない、やる気がないように聞こえるなどと言われたというもの。

実際に話している様子を観察すると、どこか淡々としていて、話している内容に思い入れがないかのように見えます。

あるいは、本人は一生懸命に話しているのに、どこか軽んじられたり、若く見られて侮られたりしてしまうというケース。もともと明るいキャラクターの人ではあるものの、それが裏目に出て、聞き手に真剣味を与えられていない場合が多いです。

じつは、どちらの悩みも、ポイントは「声の高低」です。

前者なら、意識して高い声を出すことで、自分の思いのこもった話し方ができるようになります。

後者なら、もともとの高い声を生かしながら、要所要所、強く言いきるときや真剣さを表したいときに低い声を使えるように訓練します。そうすると、その人の明るさと人としての奥深さがどちらも伝わり、聞き手に信頼感を与えることができます。

「高い声」「低い声」の使いどころ

声の高低についても、スピードと同様、3段階で使い分ける意識を持ちましょう。

高い声の場合は全体的に盛り上げたいときや情熱を表したいときに使用することが多いです。

具体的には、話の中でも活力を持って強調したい箇所、聞き手に協力を仰ぎたい箇所、楽しみを共有したい箇所、未来に向けた明るい改善策を話す箇所など、わかりやすくポジティブなシーンに使うイメージです。

ポジティブという言葉の解釈は人それぞれではありますが、聞くことによってプラスの気持ちを持っていただきたいという思いが込められている際は、高い音を使って話すことをおすすめします。

一方で低い声の場合は、落ち着きや沈んだ気持ちを表現したり、冷静に話を聞いてほしいときに使ったりするのがおすすめです。ポジティブの対比でネガティブな話の際に活用できるとも言えます。

現状の課題を受け止める、自分の悔しい気持ちを表現する、厳しい現状を突きつけられているという冷静さ、などを示したい箇所で低い声を使って話すと、よりストーリーがはっきりして、言いたいことが伝わりやすくなります。

また、ネガティブなシーンだけでなくニュートラルなシーンにおいても、低い音は有効です。物事を客観的に、俯瞰的に、フラットに見ていることを示すことができます。

高い声　盛り上げたいとき　情熱を表すとき　など
普通の声　基礎になる声
低い声　落ち着き・冷静さを表すとき、沈んだ気持ちを表すとき　など

まずはそれぞれの高さの効果を認識してください。

ただし、一人ひとり持っている声の高さは違います。となると、そもそもどのくらいの高さや低さが適切なのか、という疑問が生まれてきます。

じつは**大切なのは、特定の高さや低さを目指したり、どちらかのみを使ったりすることではなく、高さの「振り幅」を持つこと**です。

「1オクターブの振り幅」がカギ

カエカでは、**声の高低を活用できているとみなす基準を「1オクターブ以上」と定義しています。**

1オクターブというのは、音階でいう「ドレミファソラシド」の低い「ド」から高い「ド」までです。

もともと人それぞれが持っている声の高さに依存するのではなく、自分の地声を基準としたときにどの程度の振り幅があるかのほうが、はっきりと声の高低の変化をつけるという点では重要なのです。

先述したkaeka scoreによる分析では、初回学習者の平均オクターブは「0・87」。つまり、仮に**ドの音からだとすると「ドレミファソラ」くらいまでのイメージ**です。

一方で、高低をうまく扱えている上位10%の人の平均を出すとなんと「1・34」。これは「ドレミファソラシドレミ」くらいまで使えている、ということになります。

一方で、うまく高低を使えていない下位10％の人の平均は「0・54」。「ドレミファ」くらいまでしか使えていません。ほとんど一定の高さで声が出ている状態です。

自分の声の音域を手軽に試す方法として、「チューナー甲子園サイレン方法」を紹介します。

おもに楽器用として使われる、音の高さを検出するチューナーを用います。チューナーを持っていなくても、ウェブサービスやアプリが簡単に見つかりますので、検索してみてください。

準備が済んだら、チューナーに向かって、甲子園のサイレンのように「アァー」と声を出します。5秒間で低→高、5秒間で高→低に動かしながら発声しましょう。自分の声の幅が検出できます。

大切なのは、地声でやりきること。裏声になると、話し言葉には反映できないためです。

実践してみて1オクターブに到達しなかった人は、より大げさに高低を変える意識を持ちながらなんども繰り返して、1オクターブ超えを目指してください。

ジャパネットたかた・高田明が「低い声」を使う瞬間

声の高低を見事に駆使している人として、ジャパネットたかたの高田明さんが挙げられます。

彼の口調をイメージすると、高い声で魅力的に商品を説明するシーンが想起される人が多いと思います。

ですが、番組のある回を計測してみたところ、じつは**商品をプレゼンしているときの音域は2オクターブ近くの振り幅を持って話しているの**です。

例えば、商品を実際に使用してその良さをじんわりと語るときは、少し低めの声を使っています。最後に価格を発表して畳みかけるときはハツラツとした声を出しています。

高い声のイメージが先行しますが、彼の魅力的なプレゼンの秘訣は、声の振り幅にこそあったのです。

声の高低をしっかりつけて、喜怒哀楽をはっきりさせて情熱的に話し、ぜひ1オクターブ超えを目指してください。

一文は「頭高尾低」が基本ルール

ここまでは話全体のなかでの声の高低の大枠について話してきました。それでは、もう少しミクロな話として、文節や言葉を細かく見ていきましょう。

一文の中で美しい抑揚をつけるために、基礎となる法則があります。それは「**高い音から始めて低い音に着地する**」ということです。これを「頭高尾低（とうこうびてい）」といい、テレビやラジオのアナウンサーがつねに意識しているポイントです。

例えば、「土曜日は晴れるでしょう」と発話するとき、「土」は高い音域から始め、「でしょう」に向けて低い音域に移っていきます。この高低のルールをまずは意識できると、スムーズな発声に聞こえます。

ただ、これだけでは完全ではありません。話の中で**伝えたい重要な言葉にさしかかったら、声を「最初の高さに戻す」**と、さらに効果的です。

「土曜日は」と低い音域に移りながら、「晴れる」の「晴」で「土」と同じ高さに戻るのです。

こうすると、一文の中にも高低の変化が生まれ、大切な単語が適切に伝わります。この高低の波が、全体的な聞きやすさをつくります。

例外として、語尾の高さを維持する、もしくは少し高めに設定する方法もあります。そうすると、テンションは下がらず、むしろ、訴えかけるように高い音が広がります。スピーチ、プレゼン、司会の問いかけ、話の締めくくりなど相手の気持ちに感情的に訴えかけたい場合は、語尾の高さを維持する、もしくは語尾の高さを上げていくのが効果的です。

結婚披露宴での司会をイメージしてください。

「それでは新郎新婦の登場です。みなさん大きな拍手でお迎えください」

お決まりのこのセリフ、語尾に向かって声が高くなっていくような音声を想像するのではないでしょうか。

語尾の高さのイメージ

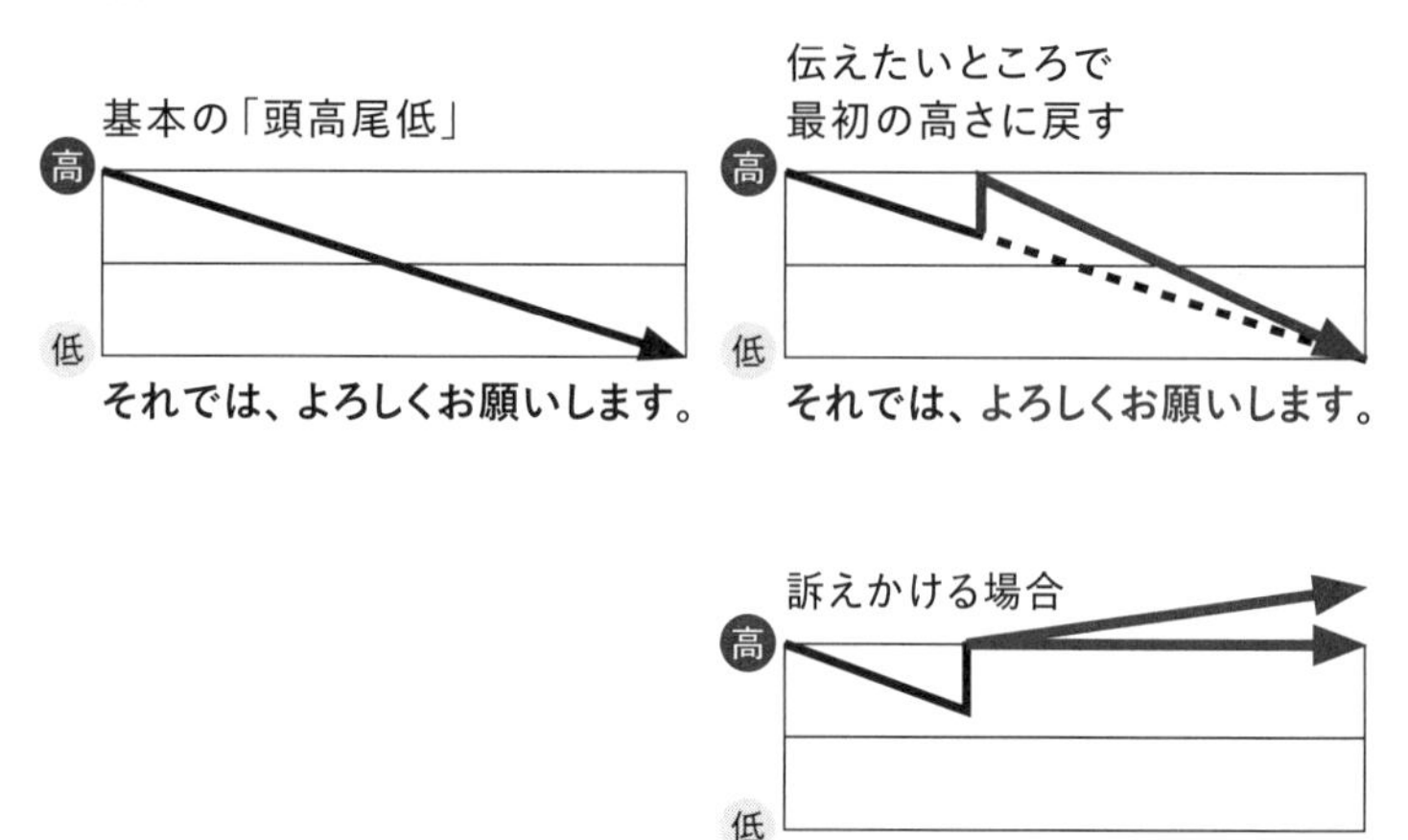

音が高くなっていくことで、「いよいよ主役の登場だ」と聞き手の気持ちを高揚させ、拍手を促すような空気をつくることができます。

チームリーダーがメンバーに向けて言う「来月からこんな目標で頑張りましょう。よろしくお願いします」も、政治家が聴衆に呼びかける「私に清き一票をお願いします!」も、声が高くなっていくほうが、拍手が湧き起こるイメージがつくと思います。

このように、高い声での呼びかけは、さまざまな場面で活用できます。

相手に賛同してもらいたいとき、前向きな気持ちになってもらいたいとき、場を盛り上げたいときなどに、ぜひ使ってみてください。

第7章

沈黙

「沈黙」こそ最大の語り

間が生み出す「理解」と「期待」

話し方を劇的に変えるポイントがあります。

それは「**間**」の使い方です。言葉を発していない時間であり、「沈黙」とも言い換えられます。「話し上手な人」と聞くと淀みなく話し続けているイメージが浮かぶかもしれませんが、実際のところはこの沈黙の時間を巧みに使っている人が多いです。

しかしこれが、意外と難しい。私がこれまでトレーニングを担当してきた中で、じつに9割以上の人が適切な間を取れていません。

間がなく淡々と話してしまうと、聞き手からすれば、新しい情報が次々に耳に入ってくることになります。理解が追いつかなければ、あたりまえですが次の話の内容は頭に入ってきません。

間がまったくない話は、聞き手の理解を妨げ、「なにを言っているかわかりにくい難しい話」となってしまうのです。

また、間を取らないことで早口だと認識されたり、覇気がないと思われたりすることもあります。

きちんと間を取ることができると、話のまとまりが明確になり、そこまでに話した内容を聞き手が理解しやすくなります。さらには、間が取られたあとにどんな話が展開されるのか、期待しながら次の言葉を待つことができます。

つまり、**間は前に話したことを理解させる時間であり、あとになにを話すのかを期待させる時間**なのです。

間を制するものが、話し方を制します。私がスピーチトレーナーとして指導する際は、原稿に「間」と書き込んで意識づけを行うほど大事なポイントです。

間を味方につけて、話全体を魅力的にしていきましょう。

お笑いのレジェンドが放った〝9秒の沈黙〟

間の使い方が抜群だったのが、お笑い芸人の江頭2：50さんが2022年4月に行った、代々木アニメーション学院の入学式でのスピーチです。サプライズで登場し会場がざわめく中、約700名の新入生に対して入学祝いのメッセージを贈りました。

> **代アニのお前ら！　お前らにひとこともの申す！【4秒の間】入学、おめでとう。【9秒の間】（会場から拍手）俺はお前らに伝えたいことがある。**

強い口調の「ひとこともの申す！」からの4秒の間。聴衆がお祝いの場でなにを言われるのだろうとドキドキしながら待ち構えていると、一転、ストレートな「入学、おめでとう」。会場には安堵の空気が広がりました。

ギャップがある構成ですが、一文ごとにしっかりと間を取ることで、聞き手が話の内容を十分に理解できるようになっています。

さらに、拍手を呼び起こし、鳴りやんでからも沈黙を続け、次にいったいどんな話が展開されるのだろうと一気に惹きつけています。

間がなによりも大事なお笑いの世界に生きる江頭さんならではの、見事なスピーチでした。

孫正義さんも、間を活用して話しています。彼は1～6秒程度の間を、話す内容に合わせて調整しながら話しています。

「名演説」の代名詞でもある田中角栄氏も、うまく間を活用していました。

早口でまくし立てるように話すイメージを持っている人も多いと思いますが、句点がついたあとや「みなさん！」と呼びかけたあとに、適切な間が取られていたのです。

それにより、「そうだ！」という掛け声が起きたり、拍手が生まれたりしています。同時に、話への期待感も上手に高めていました。

「句点のあと」を意識して間を確保

私たちがふだん、なにげなく間を取っている箇所は、「。」の句点と「、」の読点です。

この中でとくに重要なのは、ひとつめの句点の部分での間です。

句点のあとの間こそ、まさに「理解」と「期待」をつくる要となります。

句点のあとに間をしっかり取ることができると、話のまとまりが理解しやすい状態で聞き手に伝わります。話のわかりやすさにつながるのです。

また、大きく間をとることで「次の話は一体何からはじまるんだろう」といった期待感が生まれます。

さらに、意識的に話さない時間をつくることとの副次的な効果として、文節に入りがちな、えー、あのー、といったフィラーを削減することにもつながります（フィラーについては、298ページから改めて詳述します）。

具体的な数値としては、スピーチやプレゼンなど一方向で話す際には、**句点のあとに2秒程度の間を取ることをおすすめします。**

一方向で話す際には、複数人が同時に話を聞くことが多いと思います。その中にはいろんな人がいて、性格も違えば、事前に入っている情報が違う場合もあるでしょう。

全員の属性に合わせて話すことは難しいので、一般的に聞き取りやすいと言われている間を句点で確保することで、**全員が理解しやすい状況をつくることが重要**です。

そのために必要な時間が、約2秒なのです。

1対1や少人数での対話においては、句点のあと1～2秒くらいに短くなって大丈夫です。

相手との間合いやリアクションを踏まえて話す場では、2秒に固執するとかえって不自然になってしまいます。

相手の反応を引き出すための間を取る、話を区切ってわかりやすく話す、という意識で1秒～2秒くらい間をとると、自然に話すことができると思います。

対話のときには、一方向で話すときより間が短くなることを覚えておきましょう。

kaeka scoreでの分析では、句点のあとの間の平均は1・26秒。上位10％の人は2・31秒です。一方で下位10％の人は0・68秒。

これほどまでに、間は取れていないものです。

一方向で話す際の2秒は想像よりも長く、慣れないうちは難しいものではありますが、これくらい空けられると話は格段に聞きやすくなります。

勇気を持って実践してみてください。

句点以外はむしろ「空けない」

注意したいのは、句点以外のところではあまり間を空けないほうがいいということです。なぜなら、読点の間があまりに長くなってしまうと、話のぶつ切り感につながるからです。大きく空けることなく、多少〝言葉を止める〟程度に空けることがおすすめです。

重要なのは、**句点と読点に違いを持たせること**。

句点の間と読点の間を同じくらい取ってしまうと、聞き手はどこで内容が区切れるのかわかりません。

句点は2秒、読点は1秒以下くらいの間で話すイメージ（ささやかに空けるイメージ）を持つと聞き取りやすい話し言葉になります。句点と読点の〝濃淡〟を意識してみてください。

「句点や読点以外の文中の間」はまれに区切ることはありますが、かえって間が増えすぎてしまうと話がぶつ切りになり、聞き取りづらいものになってしまうのです。

例えばこんな感じです。

Bad

みなさん　こんにちは、　スピーチライター　の　千葉　佳織です。　今日は　私から　「話し方トレーニングサービス」　に　ついて　詳細を　お届けして　まいります。

本来句点や読点がつく部分でない箇所で区切れてしまうことによって、どれとどれがくっついた言葉なのか理解しづらくなったり、文章自体が長く感じられてしまったりして、わかりづらい印象になります。

句点や読点で息継ぎをすることを意識してみるとこんな感じです。

Good

みなさんこんにちは、**【0.8秒の間】**スピーチライターの千葉佳織です。**【2秒の間】**今日は私から「話し方トレーニングサービス」について、**【0.8秒の間】**詳細をお届けしてまいります。

このほうが自然に聞こえますよね。

自分がゆっくり読んだほうが正確に読める、あるいは、聞き手にとってわかりやすいはずだと考えて、間を空けすぎてしまうことはおすすめできません。

「問いかけ」と「接続詞」で間が機能する

句点と読点以外にも、とくに間を大切にしてほしいポイントがあります。

まずは「**問いかけ**」です。文字でいうと「?」が入る部分です。

問いかけのあとは、間を2秒以上取ることをおすすめします。

Bad
みなさん、自分の「話し方」について考えたことがありますか？【0.8秒】私は〜

Good
みなさん、自分の「話し方」について考えたことがありますか？【3秒】私は〜

「私は〜」とすぐに話し始めてしまうと、聞き手は自分に問いかけられたと感じることができません。予定調和、暗記した台本を読み上げているだけのような印象になってしまうのです。

この「問いかけのあとにすぐに話に戻ってしまう」現象は、話す場で本当に頻繁に起きています。

そもそもの目的から思い出してほしいのです。あなたが**問いかけるのは、聴衆にその問いに関して考えてほしいから**のはずです。であれば、**間を取って、考える時間を与えなければなりません。**

聞き手に考える時間を持たせるために、問いかけたあと2秒以上間を空けてみましょう。

1対1や少人数での対話の際には、問いかけたあとの相手の反応をきちんと受け止めて、実際に考えた内容を共有してもらうのもすごく有効です。

もうひとつ、「**接続詞**」の前後にも間を効果的に使うことができます。接続詞の前後では内容が大きく変わることがあるからです。

また、逆接の意味を持つ接続詞が入ったときは話の先が読めなくなるため、そこで間を取ると次の言葉への期待感を集めることにつながります。

間の使い方が上手な人として、乙武洋匡さんの名前が挙げられます。

彼はファシリテーションの賞を受賞するなど、話し手としての表現力を武器に、さまざまな方面で活躍しています。

義足をつけて国立競技場のトラックを100メートル踏破する「義足プロジェクト」を達成し、即興で話していたスピーチでは、感極まりながら間を効果的に置いていました。

ここまで、117メートル歩けるようになるまで、4年半かかっているんです。**でも、【2秒強の間】歩けた。**難しかったけど、不可能じゃなかった。**【6秒の間】**テクノロジーと僕らの努力とみなさんの支えで、ここまでくることができました。

逆接の接続詞「でも」に比較的はやく入りながら、そこから2秒以上の間を空けて「歩けた」と続けます。「難しかったけど、不可能じゃなかった」という大切な言葉のあとには約6秒の間を空けて、言葉の余韻を残しています。

このように、注目してほしい箇所、話が転換する箇所などで間を適切に使えることは、聞き手の心に響く話し方に密接につながります。

実際に自分の話し言葉の間を計りたいときは、スマートフォンアプリなどに入っているストップウォッチのラップ機能が便利です。

句点がついた瞬間、「ラップ」を押し、次の言葉の冒頭を話し始めた瞬間にもういちど、

「ラップ」を押します。

すべて話し終わったあとにストップウォッチを止めてみると、自分が話している箇所、間を取っている箇所、話している箇所、間を取っている箇所、といった具合に交互に秒数が出てきます。間を確保している時間を確認してみてください。

自分ひとりでやりづらい場合は、誰かに協力してもらうことをおすすめします。

話し言葉の〝大敵〟、「フィラー」を退治せよ

話し言葉の〝大敵〟が、フィラーです。

フィラーとは言語学の用語で、「えー」「あのー」「えっと」といった、無意識に出てしまう意味のない言葉を指します。

〝大敵〟と呼ぶのにはわけがあります。

話し言葉では一文の長さを短くすべし、と【原則その3】でお伝えしました。

ところが、フィラーが入ると一文が長くなります。「××でして、え〜、そのときなん

ですが、えっと〜」といった具合です。話が冗長になり、聞き手が話をスムーズに理解できなくなります。

また、フィラーは考えが曖昧で言いたいことが定まっていないといった印象も与えます。本来はそうではなくても、意味のある言葉がスムーズに出てこないと、**考えがまとまっていないのではないかと聞き手に思わせてしまう**のです。

フィラーは話の内容を考えているときや、次になにを話すか検討しているときに出てきやすいのですが、極力、出てくる頻度を減らすことができると、全体として聞きやすく堂々とした発話になります。

フィラーにはおもにふたつの種類があります。

①文頭で出るフィラー

「え〜、ただいまご紹介にあずかりました」

②文節で出るフィラー

「先日、出張に行きまして、え〜、そのときに起こったことなのですが……」

まずは自分がどのフィラーを出している可能性があるか考えてみましょう。

①、②の両者とも、思いあたる節のある人は多いと思います。

②に関しては、「え〜」「あの〜」といった頻出しがちなものもあれば、母音を引きずるタイプのフィラーもあります。「は」で終えたら「あ〜」（a）、「ね」で終えたら「え〜」（e）などと、直前に発話した言葉の母音がフィラーとして表れるパターンです。前者はビジネスパーソンに、後者は政治家に多い印象です。

ビジネスパーソンはさまざまな場面で話をしますが、フィラーを指摘してくれる人はあまりいないでしょう。

政治家は駅頭挨拶などを含めて、長く話さないといけない状況がいくつか発生します。私見ですが、次の言葉を都度考えるために、あえて間延びさせるような形でなんとか話す内容を引き延ばしている人が一定数いるようで、前の言葉の母音がフィラーとして表れやすくなっていると考えられます。

フィラーをなくすために「フィラーを認識する」

フィラーをなくすための第一歩は、「**フィラーを認識する**」ことです。

なんだか妙な言い回しではありますが、そもそもフィラーとは「無意識」に出てしまう言葉のこと。自分でも出ていることに気がついていない人は本当に多くいます。なくすためには、自分の実状を分析できなければ始まりません。

認識することが第一歩です。

技術的な解決方法はいくつかあります。

例えば「句点のあとの間をきちんと確保する」と意識することでなくせる場合もあります。先にお伝えしたように、間とはつまり沈黙の時間ですから、フィラーすらも出してはいけません。

沈黙を操る意識によって、文頭のフィラーが激減した人は私のクライアントにも大勢います。

もうひとつの方法は、一文を短く、**息を極力多めに使って「話しきってしまう」**方法です。息をすべて吐ききって一文を言いきってしまえば、話し終えてすぐに息継ぎをしなければなりません。その時間が間となり、結果的に無意味な言葉が出てくる隙はなくなります。

このようにいくつも方法があるのは、じつは、フィラーをなくすのがそれだけ難しく、出ないように地道に鍛えていくしかないからなのです。

無意識に出てしまう言葉をなくすには、相当な努力が必要になります。

人それぞれ適切な方法は異なるので、複数を試してみてください。

ちなみに私が指導する際は、受講者に、フィラーをなくすこと「だけ」に集中してなんどもスピーチやプレゼンをしてもらいます。

さまざまなトレーニングを経て、だいたい3か月程度でフィラーはかなり削減されます。まったく出なくなる人も多くいます。kaeka scoreの分析では、例えば30分間で190回フィラーが出ていた人が、3か月のトレーニング後には30分間で5回まで激減した例もあります。

フィラーは誰でもなくすことができる

ここからは、種類別のフィラーの直し方について解説します。

まず、①の「文頭で出るフィラー」です。

このケースで多いのは、「えー、今日は」「はい、ではですね」などのように、話の出だしをスムーズにしようとして、口癖となっている言葉が出てしまうことです。

意味のない前口上はフィラーの発生を助長します。「本題」から話し始める意識を持ちましょう。

そして、句点がついたあとは新しく文頭がやってくるため、フィラーが再度出やすくなります。句点のあと、間を取って落ち着いて次の文章を話し始める必要があります。

文頭のフィラーが多い人は、見切り発車で次の文章を話し始めていることが多いです。

そうではなく、先の「間」の項でもお伝えしたように、間を2秒くらい取ってから次の文章を話し始めましょう。

こうすると、次の文章をどう話すか考える余裕を持って話すことができ、文頭のフィラーをなくせます。

続いて②の「文節で出るフィラー」です。

第一の解決策は、①の文頭のフィラーと同様、適切に間を取って考えながら話すことです。

そのうえで、さらに見直していきたいのは自分の話速です。**早口すぎて自分の思考が追いついておらず、「えー」「あの」といった言葉が出ている人は非常に多い**です。

まずは落ち着いて、ふだんより遅い速度を意識して話してみましょう。

また、声を大きく出そうとすると自然と話すスピードが遅くなるため、こちらも効果的です。

文節のフィラーは、文頭のフィラーのように「いつ出るか」が明確でないため、厄介でもあります。自分の話している様子を録画したり、周りの人に指摘したりしてもらうと、なんども出ているフィラーや、この接続詞のあとにフィラーが出やすい、といった自身の傾向がわかります。

問題点を自覚してからトレーニングすると、かなり改善に近づくはずです。

そして、②の派生でもある「母音を引きずるフィラー」。

基本的な改善の考え方は他の種類と同様なのですが、母音を引きずるフィラーは、ゆっくり話をするタイプの人が悩んでいることも多いです。

この場合は、語尾が長くならないように意識して区切るという訓練方法が有効です。

自分はどんなフィラーが多いのかを認識し、話速の調整や間の確保など、適切なアプローチをしていきましょう。

フィラーは意識づけによって改善することができるものなので、自信を持って学習に取り組んでください。

フィラーを使っても上手に聞こえる人たち

「話芸」と呼ばれるようなとても高いレベルの技術を持っている人は、フィラーを出しても気にならない場合があります。

例えばワイドショーのMCは、フィラーを入れることで、そのニュースに対する困惑や怒りといった感情を示して視聴者の共感を誘います。コメンテーターに話を振るときにフィラーを挟んで「答えづらいことかもしれないけど……」と含みを持たせたり、考える時間を与えたりしています。

他にも、お笑い芸人が大喜利に答えるとき、フリップを表に返しながら「え～」と話し出して、そのリズムで笑いを生むこともあります。

もちろん、彼ら彼女らは表現のプロフェッショナルであり、話への俊敏な切り返し、適切な一文の長さ、声の質、**すべての面で自分の話し方のクオリティを保っているからこそ、フィラーがまったく敵にならない**のです。

これは、コミュニケーションを特別に訓練している人が達しているレベルであり、多くの人は、まずはフィラーを「なくす」ことが重要です。

私自身は、講演活動やレッスン中、商談などではフィラーを一切出さないモードに切り替えて話しています。一方でふだん、なにげない会話や社内での会議のときは、とくに気にせず、フィラーが出ている場面もあります。

フィラーを出す、出さないの切り替えができると状況に合わせた発話が可能になり、表現の幅も大きく広がります。

ですからまずは、フィラーをなくすことから始めていきましょう。すでに述べた通り、第一の方法は、「フィラーを認識する」ことからです。

本書でフィラーの存在を認識したあなたは、すでにフィラーをなくす一歩を踏み出しています。

第8章

身体表現

信頼感を“体現”する「立ち方」「動き方」

「身動きひとつ」で信頼感は大きく変わる

突然ですが、聞き手があなたの話に「信頼を寄せる」ために必要なことはなんだと思いますか?

ここまで解説してきた「言葉」や「音声」はもちろんのことですが、ここからの**「動作」はまさに、話し手の信頼性に大きく影響してきます**。

「話す内容」や「声の調子」をどんなに工夫しても、姿勢の重心がブレて左右に動き続けていたり、せわしなく手が動いていたりしては、聞き手は違和感に意識を持っていかれてしまいます。

信頼感とは、まさに〝体現〟されるものなのです。

本章では、話しているときの足の動きや重心の位置、表情、立ち位置、ジェスチャーといった、体の「動作」の技術について解説します。

堂々としたふるまいによって、聞き手の視覚に訴えかけましょう。

しっかりとした「土台」で下支えする

まずは信頼感を示すための姿勢から解説します。

しっかりとした〝土台〟を、足元から構築していきます。「**足**」の位置、「**重心**」の位置から考えていきましょう。

立って話すとき、足踏みをする癖がある人や、話しているうちに次第に後ずさりしてしまう人が一定数います。そのような場合は、自分の体の重心を意識すべく、足の開き方から改良を行う必要があります。

足の位置は肩幅程度に開けるのが基本です。

ただこれだけでは、片足だけに重心を置いてしまう場合があります。すると、話の途中で疲れて軸足を変えてしまい、左右に体がブレてしまうこともあります。

そこでおすすめしたいのが、**かかとを若干内側に入れた状態の姿勢をつくる**ことです。

そうすると、全体として重心が安定して、ブレを封じやすくなります。

体全体が頭の上から糸で吊るされるイメージを持ちながら姿勢を正しましょう。

座って話す場合は、椅子には深く腰掛けず、しっかりと足をつけて、重心の安定する場所を見つけましょう。上半身が頭から吊るされるイメージで姿勢を保ちます。

座った姿勢も、腹式呼吸に影響します。

2種類の「理想的な手の位置」

次に、「**手**」の位置です。

①おへその前で手を組む
②足のラインに沿って手を置く

この2種類をおすすめしています。

おへその前で手を組む場合のメリットは、重心が安定しやすく、上品な印象を与えられ

手と足、重心の置き方

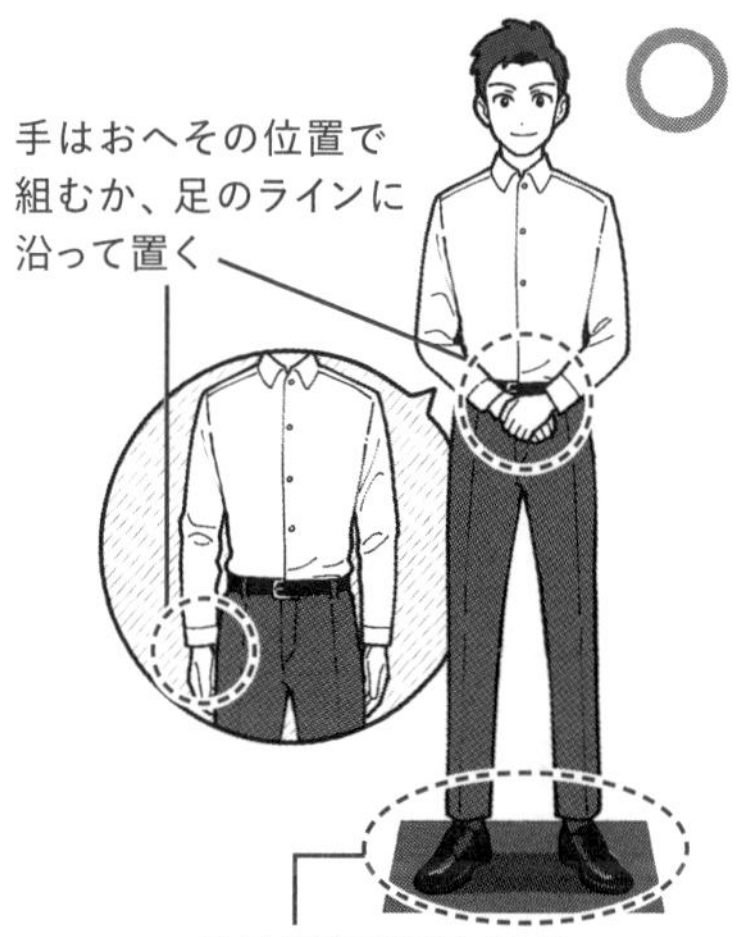

ることです。

また、ジェスチャーを出しやすい位置に手が止まるので、ジェスチャーを活用したい場合は手を真ん中に固定しておくとかなり使い勝手がよくなります。

私はこの、おへその前で手を組む状態で話すことが多いです。

一方、足のラインに沿って置く場合、自然体で力が抜けた状態で話すことができます。自然と胸を張った状態になりますので、見栄えとしても美しく見えます。

カエカの受講者の中には後ろで手を組む癖がある人がいます。

これは、姿勢がのけぞって声を出しにくくなる場合がありますので、おすすめできません。

座りながら話をするときは、猫背にならないように、背筋を伸ばして座りましょう。場所によっては、足元が見える場合もあるので、自分が座っている椅子や机が、聞き手側にどのように見えているかをしっかりチェックしましょう。

手は机の上にそっと置いて話すことをおすすめします。

手を置くときは、脇の締め方によって印象が変わるということを覚えておいてください。脇を広げて手を置いてしまうと、全体的に肩幅が広く見え、また、こころなしか肘をついているように見えることがあります。

机の上に手を置く場合は極力、脇は締める意識を持つと、美しく見えます。

表情管理は「言葉の力」を使って訓練

次に注目していく点は「**表情**」のつくり方です。

話し言葉のやり取りは、その人本人の表情を見られるところにも良さがあります。

表情は言葉の意味や解釈を明瞭にする効果を持っているため、とても重要なポイントとなります。


だからこそ、表情について悩む声はよく聞きます。

もっとも多いのは「『話しているときの顔が怖い』と言われる」というものです。

患者とのカウンセリングを行う医師や、いろんな人からつねに見られている政治家、動画配信で話す機会の多い経営者など、幅広い職種の人から相談を受けます。

次に多いのが「『ずっと笑っているように見える』『真剣さが足りない』と言われる」というもの。

改善方法はどちらも同じで、自分の表情がどんな状態か、顔のパーツをどのくらい動かすとどんな表情になるのか、感覚として身につけることです。


私は現在、話している内容に合わせて自分がつくりたい表情を一定程度つくれるようになりましたが、そこに至るまでに繰り返しトレーニングを積んできました。

その方法はいたってシンプルなもので、「**鏡の前で、決まった言葉に合わせて表情を変えて読むこと**」でした。

鍛え始めたのは高校生の頃。弁論大会で上位を取る人たちは、自分の言いたいことに合わせて表情を変えていることに気がついたのです。

そこで私は、自分の原稿のポジティブな部分に明るい表情、ネガティブな部分に暗い表情のイラストを記入し、その表情を実践できるよう繰り返し練習しました。

ポイントは、テキストをなぞりながら行ったこと。

ただたんに表情だけを鍛えようとしても苦しくて続かなかったのですが、「テキストを読んでその言葉に合わせた雰囲気をつくる」という強制力のおかげで、なんどでもやり直すことができました。

とくに注力して動きを確認したのは、**口と目**です。

口については、上の歯がしっかり見えることを意識しました。そのくらい口を開いて口角を上げると、はつらつとした印象になります。

目は、嬉しいときは少し横に開くように。怒りや悲しみを表現するときは眉間にしわを

文章に合わせて表情を変える

点線の部分は真剣な表情で、波線の部分はにこやかな表情で読む。鏡を見たり、録画したりして、どのくらい表情を変えられているかチェックしながらトレーニングを行う

私がこの部署に来たのは、今から3年前でした。正直、当時のこの部署の評判は良くはなく、役員からも「自分たちの仕事の意義を問い直せ」と言われ続けていました。ですが、あれから3年間、ただ言われたことをやるのではなく、会社全体にどのように貢献するかをみんなで考え抜きましたね。結果、今年度は10億以上の売り上げを達成しました。昨対比150%以上の着地です。この達成はみなさんのおかげです。本当にありがとうございます。
私たちは今、次の新しいステージに立つことができています。来年は、売り上げを立てることだけでなく「仕組み化していくこと」に注力しましょう。仕組み化していくことが、生産性を上げ、明るく前向きに働くことにつながると考えています。より多くのお客様にサービスを届けられるように、引き続き、頑張りましょう。

寄せるように動かしました。

とにかくテキスト内の言葉に合わせて表情を変える訓練を続け、本番で実践し、録画した映像を見て「あまり表情が変わっていない」「この表情はわざとらしかった」など振り返り、また練習するというサイクルを回し、現在に至ります。

ページ上部にスクリプトを掲載しました。言葉に合わせて、真剣な表情とにこやかな表情を切り替える訓練を行ってみてください。

実際に言葉のイメージと表情を連動させていくことで、最初は地道な訓練だったものが、

だんだんと即興の場面においても生かせるようになってきます。

聞き手と目が合った瞬間に生まれるもの

続いて「**視線**」についてです。

これは基本的には、「聞き手と目を合わせる」ことが大原則です。

「目を合わせる」なんて、行為としてはあたりまえに感じるかもしれません。

しかし、受講者の中でも「どこを見ながら話すか」に悩む人は多くいます。また、話している様子を動画で撮影し、見返してみると「視線が泳いでいる」と自分の視線を気にする人も多いです。

視線を適切にコントロールできると、聞き手に当事者意識を持たせることができます。

ある論文によると、視線と信憑性の関係を調べたところ、視線の量が多くなれば発表者への信憑性が高まるという結果が出ています。つまり、聞き手は自分に視線が注がれれば、「自分に話しかけてくれているんだ」という納得感をもって話を聞いてくれるのです。

さらに、聞き手の表情から関心度を察知することができます。聞き手が楽しそうにしていればその話題を熱く話す。聞き手がつまらなそうにしていたら、少し省いて次の話に進んでみる。自分の話が響いているのかを直感的に理解して、調整することができるのです。


一方で、うまく視線を運べないと、失敗を犯すこともあります。

以前、私ともうひとりのメンバーとで、とある営業プレゼンを受けたことがありました。その際、先方の担当者が、代表である私にしか目を向けませんでした。同席しているメンバーはその領域を担当しているから一緒に話を聞いているのに、不要な疎外感を抱くことになってしまいます。

また、大規模なカンファレンスでプレゼンを聞いているとき、スライドばかり見続けて話しているスピーカーがいました。その様子からか、内容は伝わりきってきませんでした。

さらに、ある政治家が、街頭演説中に凱旋カーの上に原稿を並べて、それを見ながら演説していることがSNSで話題になりました。


自分の言葉で聞き手を巻き込もうとするときに、視線の配り方ひとつで、やはり配慮が足りない、と思われてしまいがちなものです。

つまり、**視線とは「配慮の提示」**にあたるのです。

大人数相手での視線の動かし方

経験上、5人以上に一方的に話す場合は、全員の顔を均等に見続けるのはかなり難易度が高いです。その場合、直接一人ひとりと目が合わなくても問題ありません。話し手側としては**実際に目が合っていなくても、聞き手側に目が合ったと思ってもらえるような振る舞いができていれば、聞き手に配慮が伝わります**。

そのための視線の動かし方として、3つの方法をおすすめしています。


ひとつめは三点方式。

話し始めるときは真ん中を見て、次に右を見ます。そしてまた再び真ん中を見て、次に左を見ます。そして　また真ん中を見る。真ん中↓右↓真ん中↓左、と、3つの点を意識しながら話をする方法になります。

全体を見渡しているように見える視線の運び方

三点方式

真ん中を見ながら話し始め、右→真ん中→左→真ん中→右……と、3つの点を意識しながら視線を移動させる

Z方式

奥行きのある会場のときは、三点方式に斜めのラインを加える。左奥→右奥→左手前→右手前→左奥……と視線を動かす

無限大方式

横幅も奥行も全体的に広い会場であれば、「∞（無限大）」のマークをなぞるように視線を動かすと全体を見渡せる

とてもシンプルな方法に見えますが、話を聞いている聴衆側からは全体をよく見渡しているように見えます。

続いてZ方式。これは、三点方式に斜めのラインを加えていく手法です。奥行きのある会場で使いやすいです。

さらにその応用が∞（無限大）方式。広い会場でも、余すことなく全体を見渡せる方法です。

これらの方式を実践するにあたり、受講者から「どのタイミングで視線を切り替えればいいかわからない」とよく相談を受けます。

ありがちな失敗が、大人数に向けてしっかりと伝えようと意識をしすぎた結果、視線を

動かしすぎてしまい、落ち着きのない話し方になってしまうこと。

ぎこちなく動きすぎてしまうならば、ひとつの文節、同じような内容は無理して視線を動かす必要はありません。

近い情報はひとつの方向で言いきり、一～二文くらいを一緒の方向で話してみましょう。

左ページのスクリプトを参考にしてみましょう。

このように、サービスの名前↓自己紹介（弁論）↓自己紹介（社会人）↓思い↓社会背景……といった形で、情報の一つひとつでは視線を維持し、区切れるタイミングで動かします。三点方式であれば、このくらいが目安です。

もうひとつの注意点としては、視線「だけ」を動かしても、本当に動かしているかわかりにくいということです。

その場合は**顔や上半身も一緒に動かして、目線の向く方向に体を向ける**といいでしょう。

足まで動かしてしまうとぎこちなくなってしまうため、顔からおへそのあたりまで含めて、目が向いている方向にしっかりと向けることで「見渡しています」という姿勢を見せ

視線を動かすタイミング

三点方式なら、真ん中→右→真ん中→左→真ん中と、一つひとつの情報が区切れるタイミングで視線を動かすとスムーズ

【真ん中】話し方トレーニング「kaeka」について説明します。よろしくお願いします。【右】代表の千葉佳織と申します。15歳の頃から日本語のスピーチ競技をはじめ、全国大会で3度の優勝、内閣総理大臣賞を受賞しています。【真ん中】新卒で入社したDeNAでは、スピーチライティング・トレーニングのプロジェクトを立ち上げ、登壇社員の話し方の育成に携わりました。2019年にカエカを創業しています。【左】私はもともと話すことが苦手だったのですが、話し方の学習を通して自分を変えることができました。この学習を社会実装したいと思いサービスを運営しています。【真ん中】6.1時間、この時間は何だと思いますか？　実は、日本人の平日の平均話量なんです。【右】ここには面接は雑談、会議などさまざまなものが含まれていますが、総じて、人生の4分の1、話していることがわかります。【真ん中】このあたりまえの営みに最近、注目が…

ていくことが重要になります。

大人数を相手に話をするとき、一人ひとりと確実に目を合わせるのは不可能です。

だからこそ、話している自分自身は全員と目が合わなかったとしても、**聞き手に「話し手が自分に向けて話してくれている、目を合わせようとしてくれている」と思わせることが重要**なのです。

究極的に言えば、目が合うことそのものというよりも、全体に語りかけているように見えることが〝伝わる〟カギになります。

「立ち位置はここだけ」とは限らない

ここからは、体を動かして伝えることを考えていきます。

まずは、「**立ち位置**」です。

立ち位置とは文字通り、話すときに立つ場所そのものです。

大人数の前で話すとき、大画面のスライドをバックに立つ場合もあれば、演台が置かれている場合もあります。いずれにせよ、多くの人は与えられた場所に最初から最後まで立ち続けて話すものです。

しかし、本当にその場所に立ち続けて話すことが理想的な状態なのでしょうか。**「その場所に立ち続けていなければならない」という常識を疑うと、意外と表現の選択肢が出てきます。**

そこが比較的広く自由に動ける場所であれば、歩き回ることも可能です。演台がスライドを投影するためにパソコンを置くだけの場所であれば、演台から離れ、ポインターを持って、前後左右に自由に動きながら話すこともできるわけです。

立ち位置の変化は、「聞き手の集中力を維持する」という大きな効果をもたらします。

まず、話の転換をわかりやすく示すことができます。

長い時間、ずっと同じ場所にたち、言葉や音声のみで雄弁に表現するのは、多くの人にとって難易度の高いことです。とくに、話の内容が詳細かつ難しいと、聞き手側は話のテンポについていけなくなり、話を聞くことをやめてしまいます。

そこで、話の内容が大きく変わるタイミングに合わせて数歩歩いてみます。別の位置にたどり着き、新しい場所に立って話してみるだけで、聞き手は話の内容が変わったことをよく理解することができるのです。

話の転換がわかりやすくなることで、聞き手は話を咀嚼できるようになります。聞き手の話からの離脱を防止でき、集中力を維持させられるのです。

また、動くことで聞き手の視線を集め、躍動感を表現することができます。

立ち位置を変えずに話をすると、聞き手側は予定調和が見込めるいつも通りの話を想定します。そこで、立ち位置を移動させたとしましょう。聞き手は少し驚き、話し手の動きを目線で追います。この予想外の動きが「次はどんな話に移り変わるのだろうか」という期待につながります。

立ち位置を移動させると、次々に魅力的な話が聞けるのではないか、といった前向きな空気が会場に流れる印象を受けます。

このふたつの側面から、立ち位置の変化は聞き手の集中力を維持することにつながっているのです。

「動きも計算のうち」のスティーブ・ジョブズ

いまや伝説となった、2007年のiPhone発表スピーチ。その舞台上でスティーブ・ジョブズが動き回っていたことから、しばし動きながら話すことを「スティーブ・ジョブズのように話す」と言われるようになりました。しかし、彼のプレゼンを見て「ただただたくさん動いている」と捉えるのは誤解です。

よく分析してみると、ジョブズはずっと動き続けているわけではなく、話の内容が変わるタイミングで意図的に動いていることがうかがえます。

そして、クライマックスでiPhoneを発表する瞬間はスライドの前のど真ん中に立ち、メディアに撮影されたときに真ん中に自分が映るように計算して動いていたのです。

同じ「動く」でも、仮にジョブズが話の切り替えのタイミングではなく、つねに歩き回りながら話していたとしましょう。おそらく、極端に自信がない様子に、もっと言うなら悩んでいる人にすら見えたでしょう。

つまり、**「動く」ところと同時に「動かない」ところも決める。**この緩急こそが、「話の切り替わりをわかりやすくする」という目的の達成につながるのです。

立ち位置6フィールドの法則

立ち位置について、カエカでは「**6フィールドの法則**」をお伝えしています。舞台上を横軸で右・中央・左と分け、そこに前後を加えて6つのフィールドに分けることで、移動の流れと移動先を定めやすくする方法です。

立ち位置6フィールドの法則

舞台上を右・中央・左と前後に分けて6つのフィールドに分ける。立ち位置を変える際、移動の流れと移動先を定めやすくするための考え方

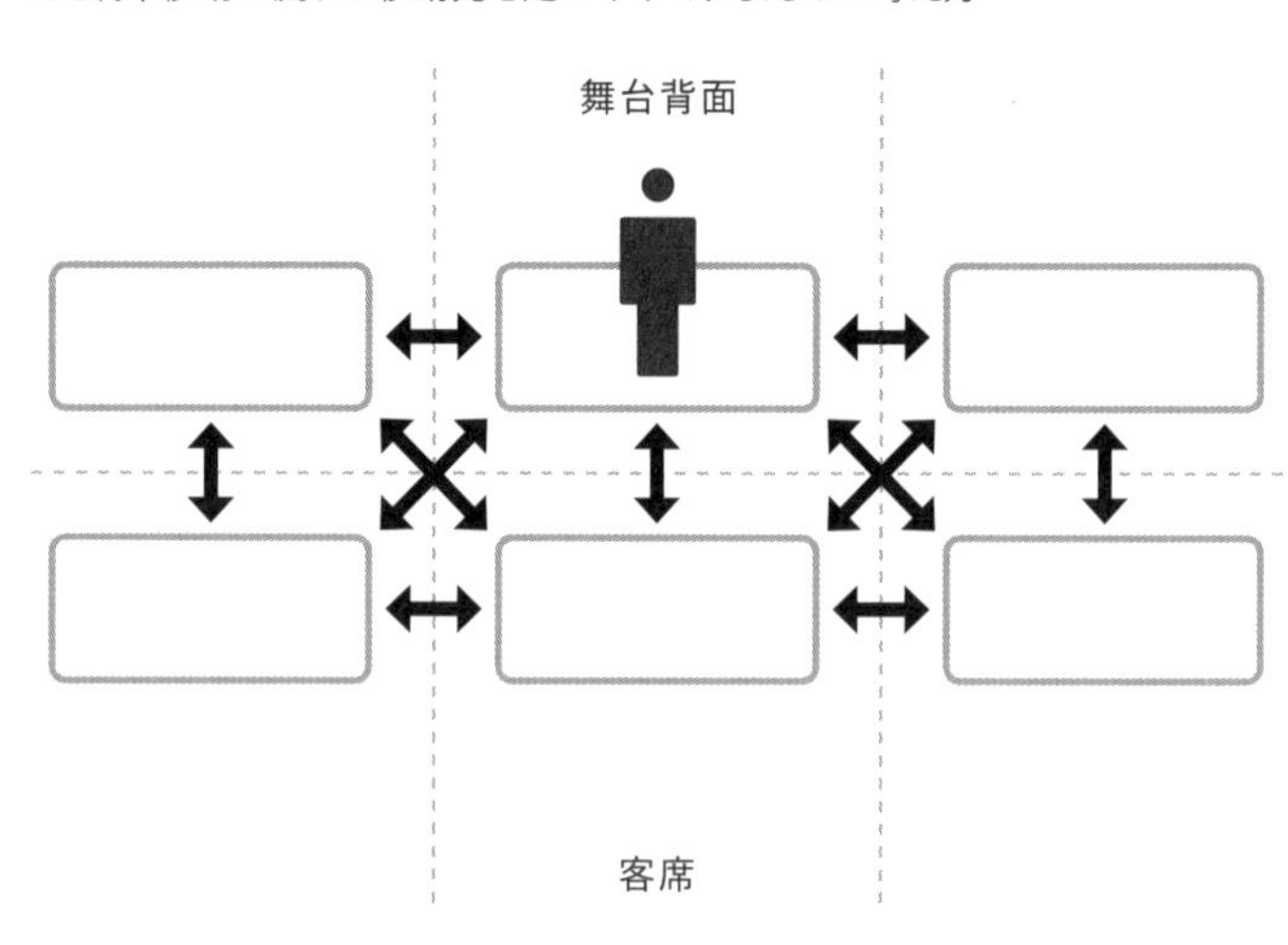

舞台の広さは会場によって異なるため、厳密な幅の決まりはありませんが、隣のブロックに行くために2〜3歩以上は歩く必要がある、くらいのイメージです。

フィールドを移動するタイミングは、話の内容が切り替わるとき。そこまで話していたことを強調し、記憶に残したいとき、句点で話が一区切りしたら、いったん間を取ってその場で止まります。

そこから、少しだけ話し始めながら数歩ずつ歩きます。そして次のフィールドまで移動したら止まります。

これを繰り返すことで話の内容をわかりやすく届けることができます。

ただし、歩く頻度が高すぎないように気をつけましょう。

立ち位置の移動は大掛かりな動きなので、2〜3分のあいだに1回動くか動かないか、という場合もあります。

全体の尺の長さや、話の内容の切り替わり度合いなどによって、適切な動く回数は変化します。

スライドを使う場合、どの位置に投影されるか次第で動き方も変わります。

例えば、ものすごく大きな会場でスクリーンが自分の背丈以上の場所に置かれている場合は、6フィールドのままでいいのですが、スクリーンが背丈の高さにあり、前に立つと被ってしまう場合は、中央の2つのフィールドを外して、4つのフィールドを使いながら話していくことができます。

ちなみに、4つのフィールドから6つのフィールドに増やしたい場合は、「黒スライド」を活用する手があります。

黒スライドとは、本当に真っ黒なだけのスライドです。聞き手から見るとただの黒い画面が映っているだけなので、話し手がその前に立っても問題ないというわけです。

4フィールドしか使えない会場であることが事前にわかっていて、かつ、「これを言うときに中央に立って重要なことを伝えたい」という明確な戦略がある場合は、この黒スライドを活用してみてください。

ジェスチャーは自分の思いを示す武器

最後に、「**ジェスチャー**」について解説します。

ジェスチャーを効果的に活用することができれば、ポイントの部分で言葉を強調することができるため、話の要点をより明確に示すことができます。また、立ち位置の変化と同様、視覚情報に変化があることで、聞き手が話し手に注意を向けるきっかけとなり、視線を集めやすいというメリットもあります。

私自身も、ジェスチャーを多用しています。

例えば、自社のサービスについてプレゼンする場面。

「カエカには3つの特徴があります」と話すときには、指を3本立てて顔の横に出します。「私たちは〝話し方の改善〟という日本ではめずらしい分野で戦っています」と話しながら、大きく広げていた両手を胸の真ん中にギュッと縮める動作をすることで、ものめずらしさを伝えます。

「心の底からこれを達成したいと思います」とビジョンを話す場面では、利き手である右手を胸の上にあてることで、自分の本心であるということをアピールします。

先ほども取り上げたジョブズは、ジェスチャーの達人でした。彼は、自分の動作や姿勢を含めて聞き手に「魅せる」ということをつねに意識していました。

iPhoneを発表したプレゼンでジョブズははじめ、おへそくらいの位置でジェスチャーを出したり引っこめたりしながら話していました。

しかし、「独立した3つの機器ではなく、ひとつなんです。その名もiPhone」と〝決める〟ときには、自分の両手を胸の高さまで上げ、大きく前に広げて話していました。

ジェスチャーの度合いに緩急をつけ、言葉を際立たせていたのです。

じつはジェスチャーはいろいろな表現を可能にします。

たんに**話のポイントを強調するだけでなく、話し手自身の具体的な思いや決意をより明瞭に示すこともできる**のです。

ですから、ジェスチャーを出す手が片手か両手か、形はなにか、出す角度はどうか……ひとつの動きだけではなくさまざまなパターンを実践できることは、表現の豊かさに直結します。

これは言葉と同様で、同じような語彙をなんども繰り返し使うよりは、少し違う言い方をしたり、違う性質の段落を並べて緩急をつけたりできると、話はより魅力的になるものです。

ジェスチャーも、そのときの自分の気持ちや伝えたいことに合わせて、言葉を選ぶかのように自由に出すことができれば、話をするうえで大きな武器になるでしょう。

ジェスチャーには、体のどの部位を使うか、どの位置に出すか、どう動かすかなど、数えきれないほどのバリエーションがあります。

そのなかで押さえておくべきポイントはどこなのか、解説していきましょう。

なお、本来は表情や首の曲がり方など、手以外のものも含めてジェスチャーと呼びますが、本書ではジェスチャーの中心となる「手の動き」をベースに取り上げます。

目の高さに、大きく、堂々と

抑揚の表現は3倍程度やって初めて普通に聞こえる、という前提の共有をしてきました。これは、ジェスチャーも同様です。

よく陥りがちな失敗として、**ジェスチャーを出す位置が低すぎるがゆえに、聞き手に認識されない**、というものがあります。

このミスをなくすために、そもそものジェスチャーの役割を考えてみましょう。

ジェスチャーを出す目的は、言葉を強調したり、思いを表現したりして、聞き手にわかりやすく話を聞いてもらうところにあります。

そう考えると、自分のお腹よりも低い位置にジェスチャーを出すのは不適切だということがわかると思います。あなたの目を見て話を聞いている人にとっては手が視界に入らず、

ジェスチャーの出し方

脇の角度はテニスボール
1個分が入るくらいに

腕が胴体にくっついていると
ジェスチャーが窮屈で小さく見え、
位置も下がってしまう

ワードの強調の助けにはならないのです。

もうひとつの目的は、ジェスチャーを通してビジュアルの変化をもたらし、聞き手を飽きさせない、というものです。

これも、ジェスチャーを低い位置に出してしまうと、そもそもビジュアルの変化が見えづらく、意味がありません。

だからこそ、**ジェスチャーは大きく堂々と出してください。**

具体的には**手の指先が自分の目の高さ程度まで上がるようにしましょう。**

さらに、高さを保つために、脇の下にテニスボールが1個入るくらいの角度で出すことをおすすめします。

腕を胴体にくっついた状態で出してしまうと、ジェスチャーが全体的に小さく見えてしまったり、目線の位置でジェスチャーを保つことが難しくなったりします。

脇の下にテニスボールが1個入るくらいの角度なら、自然で十分な大きさでジェスチャーを出すことができます。

一方で、テニスボール1個分以上に脇の角度を開けてしまうと、肘が伸び、横に長いジェスチャーになります。あまりに大げさで不自然なため、おすすめできません。

受講者も、最初は「こんなに大きく出していいの？」と疑問を口にしますが、実践し、動画を見返してみると「意外とここまで出しても問題ないものですね」と言います。

まさに、ここも自己認知と他者認知の適切なバランスを理解することが重要なのです。

最近は動画を撮影してアウトプットするという事例も増え、全身よりは上半身のみが映ることも増えています。

また、オンラインでも体の上部分だけが映る状態がスタンダードになってきています。

そういったときも、自分の目の位置程度まで大きくジェスチャーを出すことで、画面越しに聞いている人たちにも伝わりやすい状態になります。

ジェスチャーのカギは「動かす」よりも「止める」

ジェスチャーと聞くと、動的な、つねに動かしていないといけないイメージがあるかもしれません。

しかしじつは、ジェスチャーは**「どのくらい動いているか」ということよりも「一時停止できているか」がカギ**となります。

このことも、ジェスチャーを使用する目的から逆算すると理解できるはずです。

ジェスチャーの目的は、話している言葉や文節を強調することです。

それなのに、例えば、「ひとつめは話し方の重要性についてです」と話すとき、

Bad

ひとつめは話し方の重要性についてです。

この太字のところだけで1本の指を上げたジェスチャーをつけて、「話し方」という言葉が出てきたときには、すでにジェスチャーが下がっているような人がとても多いです。これでは、「話し方の重要性」という聞き手に覚えてもらいたかった言葉が届かず、せっかくジェスチャーを出す意味がなくなってしまいます。

最低限、心がけてほしいのは「強調したい単語までは最低限ジェスチャーを保たせる」ということ。基本的には、**強調したい言葉を含む一文を話しているあいだ、ジェスチャーを維持し続けてください。**

Good

ひとつめは伝え方の重要性についてです。

この一文を話し終えるまで、静止させてほしいのです。

腕を上げた状態でホールドすることになりますが、そのほうが、話しているフレーズが重要であるということを聞き手は理解しやすくなるのです。

句点をまたいで出し続けてしまうと、こんどは「全部を強調」することになり、これもジェスチャーの本来の目的が達成できません。

「一文まで」というところを意識していきましょう。

くどくないくらいの回数におさめる

ひとつの話のなかでのジェスチャーの回数について、どの程度が適切かという相談をよく受けます。

これは状況や話全体の長さにもよるため、基本的に正解はありません。

ただ、言葉を強調するときに使うという原則から考えると、1分あたり1〜3回というのが、使っても違和感がない程度です。2〜3分に1回程度でも問題なく、逆に、1分に4回以上だと少し多いかな、という印象です。

1分間に何十回もつけなければならないようなものではないという意識でいれば、適切な頻度を保つことができます。

もちろん、ジェスチャーの種類にもよりますが、**見ていて「くどくない、自然である」**

バランスを取れていれば、それは正解とみなしていいでしょう。

また、出すタイミングにもコツがあります。ジェスチャーは強調したい言葉の少し前に出すことをおすすめします。

「伝えたいことがおもに3つあります」という言葉にジェスチャーをつけるとき、よくある失敗例として、

Bad

伝えたいことがおもに3つ▼ありま す。

と、強調したい言葉が出たあとに動きを足してしまうというケースがあります。

音声の流れに間に合っていないと、言葉を視覚情報で補足することができず、強調するという目的を達成できません。

テレビ番組のテロップは、出演者が言葉を発するタイミングとほぼ同時か一瞬前に出てきます。これと同様の考え方です。

Good

伝えたいことがおもに3つあります。

と、言葉がくる直前にジェスチャーを出すことが、本当の意味で強調できている状態だと言えます。

グー・チョキ・パーでなにつくろう

ここから、手をどんな形で出すとどんな効果を得られるかを解説します。

私はジェスチャーの基本形として、「**グー・チョキ・パーの法則**」を用いています。

握りこぶしのグーは、力強い印象を与えることができます。

政治家の演説で、聴衆に力強く語りかける場合に使用されることが多いものです。ビジネスパーソンのプレゼンではあまり見かけませんが、強烈な意志や熱意を示したいときに使ってみるのもいいでしょう。

ジェスチャーの「グー・チョキ・パーの法則」

	グー	チョキ	パー
片手	・決意表明 ・聞き手を鼓舞する	・ナンバリング（1～5） ・ナンバーワン ・指を折って数える	・強調をする ・聞き手を指す ・ものを指し示す ・自分自身を指す
両手	・対比表現	・ナンバリング（6～10）	・対比表現 ・長さを示す表現

チョキは数字を示す動作を総称しています。「ひとつめはこれ、ふたつめはこれ…」といった具合に「ナンバリング」する際に、わかりやすく活用できます。

珍しい例としては、数を数える場合でなくとも「1」と人差し指を立てながら話すと、前向きな印象や、「ただこれだけを重要視します」「大切にします」といった意志表示に使うことができます。

パーは手の開き方によって印象が大きく変わります。

指をくっつけてパーを出すと、理性的でしっかりとした雰囲気になります。スライドなどを指し示すとき、人差し指1本で指すよりも洗練された印象を与えることが可能です。

指を離してパーを出すと、全体的に力強く自然な印象を与えることができます。話のなかで強さを示したいときは効果的です。

パーはどんな内容にも馴染みやすい、いちばん一般的なジェスチャーの形なので、多用してきた人も多いのではないでしょうか。指をくっつける、離す、というところまで意識できると、さらに表現の幅は広がります。

強調したいところで前に出す、手のひらを上にして相手に手を差し伸べる、胸の位置で自分自身を指し示して心のこもっている話であることを伝えるなど、表現は多岐にわたります。

パーの場合、話の〝決めどころ〟で両手で出すのも効果的です。包み込むような一体感、前向きで開かれた印象を与えられます。また、場全体に対して訴えかけるものになります。

この他にも、アイデア次第でジェスチャーの種類は無限に広がります。

ジェスチャーは抑揚全体を底上げする

さて、これまで私が数多くの話し方トレーニングを行ってきて気づいたことがあります。それは「ジェスチャーを意識的に使う」ことができると、副次的な効果まで得られるということです。

具体的には、

・声の大小
声を前に届けようと、ジェスチャーの動きに合わせて声が一段階大きくなる
・声の高低
ジェスチャーを出す動きに合わせて、アクセントがより力強くついたり、いつもより高い声になったりする
・声のスピード
言葉にジェスチャーを合わせることによって、キーワードがゆっくり発せられる

つまり、**ジェスチャーによって抑揚スキル全体が底上げされる**のです。

ジェスチャーは、なければ明確なデメリットがあるというわけではありませんが、熱量の乏しいサバサバしたコミュニケーションに受け取られてしまうこともあります。

目的達成のために、わかりやすく豊かな表現で伝えようと思えば、意識してジェスチャーを使うことも欠かせないポイントとなります。

オンラインでも大切なことは変わらない

第3部の最後に、よく受講者から受ける、ある質問についてお話しします。

それは、「オンラインのときはどうすればいいですか?」というものです。

この部を通して解説してきた音声や動作のニュアンスは、たしかにオンラインではオフラインと比して伝わりにくい傾向にあります。

結果、非言語情報の弱まりによって言語情報がダイレクトに届くことから、いかに洗練されたわかりやすい言葉で届けられるかを考えなければならなかったり、会話のラリーを生む意識を持たなければならなかったりなどポイントはいくつかあります。

しかし、ここまでお読みいただいた読者のみなさんならすでにお気づきのように、それらは「**オフラインで意識するべきところと大きく変わらない**」のです。

コミュニケーションの手段の違いを理解することは重要ではありますが、身につけたスキルのうちどの部分をどの程度生かして表現できるといいのか、そのパラメーターを考えながら表現すればいいだけです。

基本的には本書で解説しているすべてのことはオンラインにも生きますし、むしろ生かしていただきたいと考えています。

ここに書いたすべてのことを意識できたなら、「オンラインだから」という言い訳は、もう必要ありません。

おわりに

最後までお読みいただき、ありがとうございました。

私はこれまで本当に多くの人に話し方トレーニングを提供してきました。その中で、飛躍的に話し方が良くなる人と、伸び悩む人には、ある違いがあると考えています。

それは「素直さ」です。

話し方が良くなる人は、教わった内容を素直に試します。実践して得た感覚を素直に受け入れ、うまくいかなければまたやり方を工夫して試します。

一方で、伸び悩む人は、メソッドを試すこと自体に恥ずかしさを感じ、実践を諦めてしまいます。話し方に課題を感じながらも、自分のやり方を頑なに守り続けてしまいます。

両者の違いは、学びを素直に受け取るか、学びの正しさを疑うか、です。

本書では「話し方の戦略」として、話し方のポイントを体系化して一つひとつご紹介してきました。

この体系化は、「話し方に正解はない」と理解しながらも、理想に限りなく近づこうと努力をした形の表れです。

私自身、コミュニケーションの理想的な状態は状況や関係性によっても刻一刻と変化することを理解しています。話し方は「生もの」です。

したがって、本書の体系化に対して突き詰めて穴を探せば、いくらでも反例は出てきます。疑うことは容易です。

だからこそ私は言いたい。

反例を探し疑うのではなく、自分の実生活に具体的に生かそうとする「素直さ」を持ってほしいのです。

この心持ちだけで、これからのあなたの話し方の〝成長率〟は大きく変わります。

ぜひ、本書を味方にしてください。

25歳でカエカを起業したとき、話し方の学習に出合った経験を独り占めするのではなく、自らの経験を開示し、社会に還元することを決意しました。

なににも秀でていない私が人生を彩り豊かなものにできたのは、隠れた才能があったからではなく、ただ運が良かっただけなのです。

偶然にも稀有な経験に巡り合えた私には、話し方の教育を広げていく使命があります。


私の目標は、日本中に話し方の教育を届け、誰もが言葉を磨く社会を実現することです。

そして、義務教育の中に、話し方の学習があたりまえのように入り、教科書に載ることを実現したいと考えています。

話し方が変われば、やりたいことを実現させることができます。人と協力し前向きな人生を歩むことができます。意見の対立にもお互いが耳を傾け認め合うことができます。

「話し方」は、社会全体を豊かにする最大の手段なのです。


私は、確固たる野心と漲(みなぎ)る熱意を胸に、これからも話し方の教育を伝播させるひとりの人間として、受講者とクライアントの課題解決に向き合っていきます。

本書があなたの話し方を導くパートナーのような存在になれれば幸甚に思います。話すことでなにかを叶えたいときに、必要な箇所を見返してみてください。

そして、話の質に客観的な意見とトレーニングへの協力がほしいときは、カエカのサービスを使ってみてください。私と一緒に働き、話し方教育を社会に実装する仲間も探しています。

最後に、本書を制作するにあたり、真心を込めて伴走してくれたプレジデント社の柳澤さん、カエカのサービスを通して真剣に話し方に向き合ってくださっている受講者・クライアントのみなさま、私の描く未来を信じ、前向きに挑戦し続けるカエカのスタッフのみなさまに、心からの感謝を申し上げます。

全員の努力の結晶が、あなたの人生を明るく照らすことを切に願いながら。

2024年4月　午前3時、静かなる紺青の空の下で

千葉　佳織

参考文献

Harnessing the Power of Stories〈Stanford University〉https://womensleadership.stanford.edu/resources/voice-influence/harnessing-power-stories
中村雅彦「自己開示の対人魅力に及ぼす効果(3)――開示内容次元と魅力判断次元の関連性に関する検討――」(The Japanese Journal of Psychology 1986, Vol.57, No.1, 13-19)
ベストセラー Ranking〈日本出版販売〉https://www.nippan.co.jp/ranking/
リスキリング支援「5年で1兆円」　岸田首相が所信表明〈日本経済新聞〉https://www.nikkei.com/article/DGXZQOUA30ACD0Q2A930C2000000/
なぜ日本の大企業はKDDIのような記者会見ができないのか…「社長の能力の優劣」ではない本当の理由〈PRESIDENT Online〉https://president.jp/articles/-/59552
岸本裕紀子『オバマのすごさ やるべきことは全てやる!』(PHP研究所)
デビット・リット著、山田美明訳『24歳の僕が、オバマ大統領のスピーチライターに?!』(光文社)
小磯花絵・渡部涼子・土屋智行・横森大輔・相澤正夫・伝康晴「一日の会話行動に関する調査報告」(2017年3月 大学共同利用期間法人 人間文化研究機構 国立国語研究所)
2022年度大学入学者：総合型選抜さらに伸びる〈洋々〉https://you2.jp/labo/7133/
小森政嗣「スピーチにおける「間」の最適時間長に関する感性心理学的研究」(人間科学研究 2001年3号)
伊藤俊一・阿部純一「接続詞の機能と必要性」(The Japanese Journal of Psychology 1991, Vol.62, No.5, 316-323)
本間生夫『呼吸を変えるだけで健康になる5分間シクソトロピーストレッチのすすめ』(講談社)
江戸川乱歩『怪人二十面相』〈青空文庫：底本「怪人二十面相／少年探偵団」江戸川乱歩推理文庫、講談社〉https://www.aozora.gr.jp/cards/001779/files/57228_58735.html
高津和彦『スピーチや会話の「えーっと」がなくなる本』(フォレスト出版)
藤原武弘「態度変容と印象形成に及ぼすスピーチ速度とハンドジェスチャーの効果」(The Japanese Journal of Psychology 1986, Vol.57, No.4, 200-206)

新型コロナウイルス感染症に関する菅内閣総理大臣記者会見〈首相官邸〉https://www.kantei.go.jp/jp/99_suga/statement/2021/0730kaiken.html
野球日本代表 侍ジャパン 公式(@samuraijapan_pr)2023年3月22日 Xへの投稿https://twitter.com/samuraijapan_pr/status/1638324724655886336
ジェフ・ベゾス寄稿、ウォルター・アイザックソン序文、関 美和訳『Invent & Wander ジェフ・ベゾス Collected Writings』(ダイヤモンド社)
Exclusive: Watch Steve Jobs' First Demonstration of the Mac for the Public, Unseen Since 1984〈TIME〉https://time.com/1847/steve-jobs-mac/
世界中の若者たちへ BTSが国連総会でスピーチ「自分自身のことを話して」〈unicef〉https://www.unicef.or.jp/news/2018/0160.html
米国大使館レファレンス資料室 編集『President Barack OBAMA in His Own WORDS オバマ大統領の演説「自らの言葉で語る」』(米国大使館レファレンス資料室)
12年間のオバマ氏　やせっぽちの子から米大統領2期〈BBC NEWS JAPAN〉https://www.bbc.com/japanese/video-36911413
指原莉乃、地元・九州でAKB総選挙の1位奪還(スピーチ全文)〈HUFFPOST〉https://www.huffingtonpost.jp/2015/06/06/akb-sashihara_n_7525236.html
豊田章男が見せた涙の訳　11回目の株主総会⑥〈トヨタイムズ〉https://toyotatimes.jp/report/shareholders_2020/084.html
指原莉乃スピーチ全文「ファンのみんなが無理に無理に無理を重ねて」〈Sponichi Annex〉https://www.sponichi.co.jp/entertainment/news/2016/06/18/kiji/K20160618012807110.html
【弔辞全文】「総理、あなたの判断はいつも正しかった」安倍元総理国葬　"友人代表"菅義偉前総理の追悼の辞｜TBS NEWS DIG〈TBS NEWS DIG〉https://www.youtube.com/watch?v=waLlg9WnwpA
【ノーカット】安倍元総理へ　野田元総理が国会で追悼演説(2022年10月25日)〈ANNnewsCH〉https://www.youtube.com/watch?v=Z8wz6gL2EBY
【ビリギャルのスピーチ】新たなる挑戦、なぜ留学に行くのか?〈ビリギャル チャンネル〉https://www.youtube.com/watch?v=Bb4KggFdj-0
2万人を興奮させた!小泉純一郎「絶叫」演説@新宿アルタ2014 02 01〈日仏共同テレビ局France10〉https://www.youtube.com/watch?v=6Of9p_8tO94
大下英治『小泉純一郎・進次郎秘録』(イースト・プレス)
【全訳】ティム・クック「MITでの卒業スピーチ」|人生の目的を見つける方法は「人のために尽くすこと」〈クーリエ・ジャポン〉https://courrier.jp/news/archives/87852/
「私には夢がある」(1963年)マーティン・ルーサー・キング・ジュニア〈AMERICAN CENTER Japan〉https://americancenterjapan.com/aboutusa/translations/2368/#jplist
【伝説のスピーチ】入学式にしょこたんとサプライズ乱入!〈エガちゃんねる〉https://www.youtube.com/watch?v=6-3gTpjkZzw
【国立競技場】義足プロジェクト、感動のフィナーレ!!〈乙武洋匡の情熱教室〉https://www.youtube.com/watch?v=zoBdk3SBRBE

※URLはすべて2024年4月1日アクセス確認

Special Thanks

浅野洋一
アシュウェル小百合
渥美里桜那
有井菜月
有馬 優
安藤初美
上中理瑚
内田泰雅
江塚 健
江星建太
大島美紀
大山哲子
小倉 琳
葛西寛司
壁井裕貴
川島里奈
河谷麻瑚
北村洋平
木村広一
黒井ゆうき
黒田理紗

昆野太一
咲田夏美
佐藤友香
佐藤良基
下村彩紀子
下室孝平
ジャック中村
高石一樹
竹村 遼
津田和也
土屋英傑
鶴岡 亮
長門 萌
中根楓賀
中村哲治
中原瑠南
中西勇樹
西澤陽介
西根朋子
西村邦裕
秦 健二

日向優理子
藤原正幸
保坂和幸
ほしなのぞみ
三﨑友香里
みなべまいこ
森本滉大
宮下佳織
安田 馨
山岡由夏
山本惇志
山本伸一
山元二葉
吉田光沙
吉田俊文
米重克洋
渡邉 慶
Harry Ohira
I.S
Sato Yoshiko

話し方の戦略

「結果を出せる人」が身につけている一生ものの思考と技術

2024年 4 月26日　第 1 刷発行
2024年10月23日　第 6 刷発行

著者　千葉佳織

発行者　鈴木勝彦
発行所　株式会社プレジデント社
〒102-8641　東京都千代田区平河町2-16-1
平河町森タワー13F
https://www.president.co.jp/
https://presidentstore.jp/
電話 03-3237-3732（編集）
電話 03-3237-3731（販売）

カバーデザイン　小口翔平＋村上佑佳（tobufune）
本文デザイン・DTP　有限会社北路社
イラスト　えんぴつ
校閲　株式会社文字工房燦光

販売　桂木栄一　高橋 徹　川井田美景
森田 巌　末吉秀樹　庄司俊昭　大井重儀
編集　柳澤勇人
制作　関 結香

印刷・製本　中央精版印刷株式会社

ISBN 978-4-8334-4063-9
Printed in Japan